DRAMA

Drama

Chris Higgins

Van Holkema & Warendorf

Voor Lucy, Claire, Pippa, Kate en Twig
Met dank aan Mel, Lindsey, Anne en Zoë

ISBN 978 90 475 0395 8
NUR 284
© 2008 Uitgeverij Van Holkema & Warendorf,
Unieboek BV, Postbus 97, 3990 DB Houten

Oorspronkelijke titel: 32C, *That's Me*
Oorspronkelijke uitgave: © 2006 Hachette Children's Books, Londen

www.unieboek.nl

Tekst: Chris Higgins
Vertaling: Annemarie Vladár
Omslagfoto: Jupiter Images
Omslagontwerp: Ontwerpstudio Bosgra BNO, Baarn
Zetwerk binnenwerk: ZetSpiegel, Best

Voor de fragmenten uit *MacBeth* is gebruikgemaakt van de vertaling van
Jan Jonk, AphaTech, Heijen, 1990

Niet op de voegen staan
Ja zuster, nee zuster...

Iedere dag als ik uit school kom, doe ik iets geks. Zodra ik de straat in loop waar ik woon, begin ik dit liedje te zingen. In mijn hoofd. En dan stap ik over alle voegen in de stoep heen.
Hoe bedoel je bijgelovig?
Bij de laatste lantaarnpaal haal ik heel diep adem. Als het me lukt om zonder in te ademen ons huis binnen te komen, dan is mama er niet.
Mijn longen klappen bijna uit elkaar. Ik steek de sleutel in het slot. Niets. Geen Radio 2, niemand aan de telefoon, geen afwasgeluiden uit de keuken. Ik adem heel snel uit. Joepie! Mama is nog niet thuis. Het huis is dus voor mij alleen.
Niet dat ik een hekel heb aan mijn moeder hoor, begrijp me niet verkeerd. Maar nu kan ik even lekker rustig internetten zonder dat mama aan mijn kop loopt te zeuren over huiswerk en over dat dit 'zo'n belangrijk jaar is als je ooit je eindexamen wilt halen'.
Dat krijg je ervan als allebei je ouders leraar zijn. Twee keer meer ellende dan wie dan ook.

Ik gooi mijn tas in een hoek. Ik pak een glas cola en een paar rijstwafels. GLUTENVRIJ staat op de verpakking. Daarom koopt mama ze ook. Maar ik vind ze gewoon lekker.

Het lampje van het antwoordapparaat knippert. Er is een berichtje van Ali. Maffe Ali. We kennen elkaar al sinds de kleuterschool. We verschillen dag en nacht van elkaar, maar ze is mijn beste vriendin. Vandaag was ze niet op school.

'Hoi, Jess. Hoe was het op school? Ik heb de hele dag liggen creperen, maar het gaat wel weer. Mag ik jouw wiskunde overschrijven? Bel je me?'

Het is altijd hetzelfde met Ali. Sinds ze ongesteld is blijft ze iedere maand een dag thuis vanwege buikpijn, die prompt diezelfde dag om halfvier over is. Het lukt haar iedere keer weer, omdat haar moeder altijd briefjes schrijft. Domme moeder.

Nee hoor, ik ben gewoon jaloers. In dit huishouden moet je onderhand stervende zijn voordat je je ziek mag melden. Niet verder vertellen hoor, maar ik vind school hartstikke leuk, dus ik wil niet eens thuisblijven. Vooral niet nu ik verkering heb met Muggs. Hoewel een dag in bed ook lekker kan zijn.

Ik ben maar een pechvogel. Mijn vader gaat namelijk over de absenties bij ons op school. Hij is onderdirecteur. En hij geeft ook exacte vakken. Onder andere biologie en bij biologie hoort seksuele voorlichting. Lekker pijnlijk, hè? Seksuele voorlichting van je eigen pa. Mijn moeder was tenminste zo vriendelijk om op een andere school les te gaan geven.

Het volgende bericht op het antwoordapparaat is voor papa. Het gaat over geld en pensioenfondsen. Saai dus. Papa is altijd aan het uitrekenen of hij vervroegd met pensioen kan.

Mama en ik denken dat het gewoon een hobby van hem is. Soms schiet hij helemaal in de stress en dan loopt hij ineens te gillen dat hij moet doorwerken tot zijn vijfenzestigste omdat mijn zus en ik anders niet naar de universiteit kunnen. Maar hij is pas achtenveertig en Carly is al negentien. Die gaat in september al in Bristol studeren.

Oma is de volgende op het antwoordapparaat. Ik heb een heel coole oma. Haar bericht heb ik al zo vaak gehoord: ze weet niet meer hoe ze de video moet instellen en ze heeft vanavond een salsales die ze niet wil missen. Of papa haar terug kan bellen.

Het laatste bericht is van iemand van het gezondheidscentrum, voor mevrouw Diane Bayliss. Of mijn moeder morgenmiddag om twee uur kan langskomen. Ik vraag me af waarom.

Mama geeft basisvorming aan kinderen met een leerachterstand, dus daar zal het wel iets mee te maken hebben. Ik moet niet vergeten het tegen haar te zeggen, want ze luistert het antwoordapparaat nooit af. Ook de post interesseert haar niet zoveel. Als ze thuiskomt kijkt ze wel even de post door, maar er zit bijna nooit iets voor haar bij. Alle saaie, bruine enveloppen legt ze vervolgens ongeopend op een stapeltje voor papa. Carly heeft ooit een e-mailaccount voor haar gemaakt zodat ze makkelijker contact konden houden, maar volgens mij heeft mama er nog nooit naar gekeken.

Over e-mail gesproken! Ik heb de mijne nog niet bekeken. Gaaf! Een mailtje van Carly, uit Byron Bay in New South Wales in Australië.

Carly zit een jaar in het buitenland. Direct na haar eindexamens is ze vertrokken. Ik mis haar vreselijk. Eerst is ze een paar maanden naar Thailand geweest. Mama en papa konden haar moeilijk tegenhouden, want ze had tenslotte hoge cijfers gehaald. Dat was de afspraak: als zij goede cijfers haalde mocht ze een jaar lang doen wat ze wilde. Trouwens, ik denk dat ze haar zelfs hadden laten gaan als ze was gezakt. Onder dat laagje burgerlijk fatsoen gaan toch een stel overjarige hippies schuil. Toen mijn ouders elkaar aan het eind van de jaren zeventig ontmoetten, waren ze allebei hippies. Papa was naar Turkije gelift en mijn moeder was op doorreis van Kathmandu naar huis, samen met een of andere zak genaamd Jeremy. Papa en mama liepen elkaar in een broodjeszaak in Istanbul tegen het lijf. Mama dumpte Jeremy direct en vertrok, samen met mijn vader, naar een Grieks eiland. Daar sliepen ze een maand lang op het strand, of op de daken van huizen. En de rest is bekend, zoals je dat zo mooi zegt.

Maar goed, Carly heeft het dus hartstikke naar haar zin in zonnig Australië, als ik haar e-mails mag geloven.

Heb een heel gave gozer ontmoet. Hij heet Todd. En sexy! Blonde lokken, gespierd en 1,95 meter lang. Klinkt niet slecht, hè? En ik heb nog een baan ook! Minpuntje: ik ben nu serveerster. Pluspuntje: serveerster op het strand, dus zonnebaden terwijl je werkt! Zo krijg ik trouwens ook de kans om met al die lekkere jongens te praten!

Dit is natuurlijk erg goed nieuws voor mij, aangezien ik van plan ben over vier jaar precies hetzelfde te gaan doen als zij. Ik schrijf snel een mailtje terug, met alle roddels van het moment. Helaas is er niet veel te melden.

Muggs en ik zijn nog steeds bij elkaar. Het wordt met de dag leuker. Kelly Harris heeft een bloedhekel aan me, omdat ze al jaren verliefd is op hem. Volgens mij is Ali ook een beetje jaloers. O, en mevrouw Taylor wil dat ik auditie doe voor de rol van Lady Macbeth! Mama is bang dat ik dan achter kom te lopen met mijn schoolwerk. Ali gaat ook auditie doen, maar die heeft geen schijn van kans. Mama en papa zijn nog even saai als altijd. Ik mis je.

Ik druk op 'versturen'.
Net als ik informatie over Lady Macbeth zit op te zoeken komt mama binnen. Mevrouw Taylor denkt dat we ons meer kunnen inleven in het stuk als we het zelf naspelen. Cool, hè? Mevrouw Taylor is echt een heel goede lerares. Ik zou het hartstikke gaaf vinden als ik Lady Macbeth mocht spelen. Dat is zó'n kreng! Ik denk dat ik best een kans maak.
Van mevrouw Taylor moet ik in de klas ook altijd voorlezen, omdat ze vindt dat ik kan overbrengen wat er staat.
Dat komt allemaal door mama. Terwijl ze mij borstvoeding gaf, las ze Carly altijd voor. Zij denkt dat ik het daardoor allemaal al heel vroeg heb meegekregen. Ik kon al lezen voordat ik naar school ging. In groep 3 zette mevrouw Barry mij naast Ali, zodat ik haar kon helpen. Ali vond het maar moeilijk. Sindsdien doe ik al Ali's schoolwerk.
Zal ik je eens wat vertellen? Mama las mij altijd Shakespeare voor toen ik klein was. Ik snapte er natuurlijk niets van, maar ik vond het heerlijk om lekker dicht tegen haar aan te kruipen en naar al die verschillende klanken in haar stem te luisteren. Misschien ben ik daarom nu wel zo dol op Shakespeare.

Wat ik nog vergat te zeggen is dat Muggs ook auditie gaat doen voor *Macbeth*! Romantisch hè?

'Dag, schat. Hoe was het op school? Je zit toch niet te chatten, hè?' vraagt mama, zonder adem te halen. Het lieve mens weet niet eens wat chatten is. Ze heeft er ooit eens van gehoord en denkt nu dat het iets is wat niet door de beugel kan.

'Jawel. Ik ben net een afspraakje aan het regelen met een treurige vent van vijftig die net doet of hij een jongen van vijftien is,' antwoord ik.

'Als je maar niet de hele middag achter dat ding blijft zitten. Je moet je huiswerk nog maken.' Mama staat inmiddels in de keuken. Daar haalt ze eten uit de diepvries. Als ze thuiskomt uit school luistert ze nooit naar me. Pas na het avondeten vergeet ze school en houdt ze op met opdrachten geven.

'Heb je zin in spaghetti?'

'Ja hoor,' zeg ik afwezig. Ik ga helemaal op in de woorden op het beeldscherm. Die Lady Macbeth krijgt echt zwaar slechte kritieken. Hier heb ik een artikel waarin staat dat er veel meer achter dit sluwe mens zit dan je zou denken.

'Heeft je vader gezegd of hij vanavond laat zou thuiskomen?'

'Weet ik niet.' Ik probeer zoveel mogelijk over Lady Macbeth te vinden.

Mama begint de was uit de wasmachine te halen. 'Hang jij dit even aan de waslijn, Jess?'

'Mam, ik ben mijn huiswerk aan het doen, hoor!'

Dat is zo gek: mama zeurt altijd dat ik nooit mijn huiswerk doe, maar tegelijkertijd zorgt ze er altijd voor dat ik er niet aan toekom.

'Toe nou, Jess. Het is toch zo gebeurd? Ik wil aan het avond-eten beginnen, want ik moet vanavond naar pilates.'
Mama is altijd wel ergens mee bezig. Ze kan absoluut niet stilzitten. Papa is veel relaxter.
'Je hóéft toch helemaal niet naar pilates?' mopper ik, terwijl ik de mand met natte was oppak. Mijn moeder heeft een geweldig figuur, iets wat ik blijkbaar van haar heb geërfd. Dat zegt Carly tenminste altijd. Ze zegt dat ik op precies de juiste plaatsen 'goed gevuld' ben. Met andere woorden: ik heb grote borsten, net als mama. Carly heeft een heel ander figuur. Zij lijkt meer op papa. Nou ja, niet echt, want hij is een man, maar Carly heeft net zo'n dun, lenig lijf als hij. Ik ben wat ronder.
Eerlijk gezegd moet ik nog steeds een beetje wennen aan mijn borsten. Die zijn de laatste paar jaar zomaar ineens gegroeid. Ik vind ze best mooi hoor, maar van mij mogen ze nu wel ophouden met groeien. Ali vindt me compleet gestoord. Zij vindt ze juist mooi. Ze is al aan het sparen om die van haar te laten oppompen, want zij vindt haar borsten op twee gebakken eieren lijken.
'Vergeet deze niet.'
Mama gooit nog wat ondergoed op de stapel in de mand.
'Die beha's zijn helemaal niet goed voor jou.'
Daar gaan we weer. Ik krijg er de kriebels van.
'Kijk niet zo naar me, Jess. Je moet een beetje ondersteuning hebben, anders gaan je borsten hangen. Ga maar een keer met me mee winkelen, dan laten we je eens goed opmeten. Die slappe dingetjes, daar heb je niets aan.'
'Echt niet,' protesteer ik. 'Ik ga echt niet van die prothese-dingen aantrekken.'

Niemand kan me zo kwaad maken als mijn moeder. Echt hoor. Ze heeft er een kunst van gemaakt om me op de kast te jagen. Binnen anderhalve seconde kook ik van woede. En dan pruttel ik nog heel lang na, zonder dat ze het doorheeft. Papa is laat en mama moppert dat ze nooit op tijd is voor pilates, omdat ze de auto nodig heeft. Eindelijk komt hij binnen. Hij gooit zijn koffertje bij mijn tas in de hoek en trekt zijn stropdas los. Net als mama wil gaan zeuren over onze tassen in de hoek ziet ze hoe moe papa is. Daarom zegt ze iets anders.

'Drukke dag?'

'Mmm.' Hij zet de waterkoker aan en haalt zijn handen door zijn haar. Hij wordt een beetje kaal. 'En jij?'

'Ik ben kapot,' zegt ze en dan vertelt ze ons tot in de kleinste details hoe ze de jongens uit groep 5 heeft uitgelegd hoe ze zich goed moeten wassen. Getver. Gek genoeg stroomt mijn moeder altijd over van energie als ze van haar werk komt, terwijl mijn vader er altijd moe en verkreukeld uitziet. Pas onder het eten herinner ik me de berichten op het antwoordapparaat. 'O ja, pap, oma wilde weten hoe je de video ook alweer moest instellen.'

'Alweer?' mompelt mama.

'Nou ja, daar is het nu toch te laat voor. Oma is allang weg. En verder was er nog een bericht over een pensioen, of zo.'

Papa kreunt.

'En mam, er belde iemand van het gezondheidscentrum. Je moet er morgen om twee uur zijn.'

'Wat?' Mama kijkt me geschokt aan.

'Er stond een bericht op het antwoordapparaat,' zeg ik, met mijn mond vol pasta.

'Ik wou dat je dat niet telkens deed!' snauwt mama, terwijl ze snel van tafel opstaat. Ze begint de borden op te stapelen, terwijl papa en ik nog helemaal niet klaar zijn met eten.

'Wat niet?' vraag ik verbaasd.

'Naar mijn berichten luisteren. Die zijn privé.'

Vragend kijken papa en ik elkaar aan. Die logica van mijn moeder ook altijd... Ze gooit de borden in de wasbak.

'Hallo, het is een antwoordapparaat, hoor. Voor ons allemaal,' zeg ik geduldig.

'Nou ja, je weet wel wat ik bedoel,' zegt mama. 'Wassen jullie af? Ik moet nog iets doen.'

'Ik dacht dat je naar pilates moest?' zeg ik.

'Daar is het nu te laat voor. En ik heb het toch te druk. Ik moet nog veel doen voor school.'

'Schoolinspectie,' fluistert papa, terwijl mijn moeder de keuken uit loopt, naar boven.

'Ongesteld,' zeg ik. Ik gooi een theedoek naar hem toe. 'Ik was, jij droogt.'

Die hele avond laat mama haar gezicht niet meer zien. Misschien moet ze schoolwerk nakijken. Op een gegeven moment roept ze naar beneden dat ze in bad gaat en vroeg haar bed in duikt. De volgende ochtend doet ze weer normaal. Voor ik naar school ga slaat ze even haar armen om me heen. 'Succes met je auditie.'

Ik knuffel haar ook even en dan ga ik ervandoor. Ali staat aan het eind van de straat al op me te wachten. Haar buikpijn is weer vergeten voor een maand. Snel ren ik naar haar toe. Ze staat een Mars naar binnen te proppen. Dat is haar ontbijt. Het is niet eerlijk. Ali leeft van chocola en chips, maar ze is zo mager als een lat en ze heeft nooit pukkels.

'Heb je het huiswerk voor wiskunde bij je?' vraagt ze, haar gezicht besmeurd met chocola. Ik geef haar mijn schrift. 'Geweldig, joh,' zegt ze en we lopen verder. Mama zou gek worden als ze dit zou zien, maar mij kan het niets schelen.

Papa is al een uur weg. Hij moet altijd vroeg op school zijn om administratie te doen of zo. Ik ga echt niet met hem mee naar school, zelfs al zou hij wél op een christelijk uur weggaan. Het is al erg genoeg dat hij op dezelfde school rondloopt als ik. Ik hoef het niet nog een keer te benadrukken door met hem mee te rijden.

Ali vindt me maar vreemd. Ze vindt het cool dat mijn vader onderdirecteur is en ze slijmt zich dan ook een ongeluk. Hij heeft wel een zwak voor haar. Tenslotte kent hij haar al sinds ze heel klein was. Hij plaagde haar altijd. Ali vond het heerlijk. Soms was ik wel eens jaloers, maar als mama dan weer uitlegde dat Ali nu eenmaal geen vader had en daarom zo van de mijne genoot, dan vond ik het niet zo erg meer. Mama is veel kritischer over Ali. Ze is bang dat ze me op het verkeerde pad brengt. Onzin, natuurlijk.

Muggs staat bij het schoolhek op me te wachten. Hij heeft *Macbeth* in zijn handen, opengeslagen bij het eerste bedrijf, derde scène. Voor de auditie van vanmiddag. Ik kan nog steeds bijna niet geloven dat ik verkering met hem heb. David Morgan, zo heet hij echt. Hij is heel lang. Hij heeft lang, donker haar, dat hij op school altijd in een staart draagt. Als hij lacht krijgt hij allemaal rimpeltjes rond zijn ogen en hij lacht een beetje scheef. Hij is zó sexy. Iedereen is verliefd op hem. Het leuke is dat hij in de vierde zit. Dat betekent dat ik in de aula van de bovenbouw mag komen, als zijn speciale gast. Vorig jaar zijn we elkaar tegengekomen toen we allebei in *The Little Shop of Horrors* speelden. Met Kerstmis hadden we verkering. Muggs is mijn eerste (en hopelijk laatste) vriendje.

'Hoi,' zeg ik en ik geef hem een kus op zijn wang. 'Hoe gaat-ie?'

Hij neemt een overdreven houding aan en kijkt Ali en mij doordringend aan.

'Wie zijn dit,
Zo uitgeteerd en wild en haveloos.

Dit lijken mij geen aardbewoners toe,
Al zie ik ze voor me.'

'Haha. Erg grappig,' zeg ik, hoewel ik stiekem best onder de indruk ben. Ali kijkt hem aan alsof hij niet helemaal spoort. Dit is nou typisch iets voor Muggs: ik denk dat hij de halve nacht is opgebleven om het hele eerste bedrijf uit zijn hoofd te leren, zodat hij tijdens de auditie geen fouten maakt. Ik snap niets van die gozer. Bij hem thuis is het een zootje. Hij heeft een heleboel halfbroertjes en -zusjes rondlopen en zijn ouders zouden het niet eens merken als hij nooit zijn huiswerk deed. En toch doet hij het allemaal. Hij is trouwens overal goed in: rugby, voetbal, school, toneel. En hij is nog populair ook. Mijn vader vindt hem geweldig. Dat maakt ons leven natuurlijk ook een stuk makkelijker.

'Waar heeft hij het nou weer over?' vraagt Ali. Hoewel ze dolgraag de hoofdrol wil spelen, weet ze verder geen bal van Shakespeare.

'*Spreek, als u kunt,*' gaat Muggs verder, terwijl hij zijn armen om me heen slaat. Ik vlij me lekker tegen hem aan. Door zijn trui heen voel ik zijn hart kloppen.

'*Gegroet,*' zeg ik.

'*Gegroet,*' zegt hij terug.

'*Minder dan Macbeth, en grootser!*' ga ik verder.

'*Niet zo gelukkig, maar met meer geluk.*' Muggs heeft het laatste woord. Hij snuffelt aan mijn hals.

'Jullie zijn echt gestoord,' merkt Ali op.

We barsten allebei in lachen uit. Hij geeft me een kus op mijn mond. Mijn hart bonst tegen mijn ribben. Ondertussen begint Ali Sean Wheeler af te lebberen. Sean zit bij Muggs in de klas. Ze heeft hem afgelopen zaterdag gestrikt. Niet omdat ze hem zo leuk vindt, maar omdat ze ook in de aula van de bovenbouw wil. Jongens zwermen altijd als bijen om haar heen en ze flirt met iedere gozer die ze kan vinden. Geen haar op mijn hoofd die eraan denkt om Muggs in het openbaar af te lebberen. Ook al ben ik nog zo verliefd. 'Daar lopen leraren,' waarschuwt Muggs. Ali en Sean springen uit elkaar. Muggs heeft mijn vader gezien, die even verderop met mevrouw Taylor staat te praten. Maar aangezien zij in de auto zit en hij voorovergebogen staat om haar aan te kunnen kijken, heeft hij niet gezien wat er hier gebeurt. Nu gaat hij rechtop staan en doet hij de autodeur voor haar open. Wat kansloos! Mevrouw Taylor ziet ons en roept iets. 'Zijn jullie klaar voor de auditie?' 'Ik wel,' roep ik enthousiast terug. 'Ik kan niet wachten.' 'Mooi zo,' zegt ze. 'We hebben veel sterke kandidaten, maar ik weet zeker dat er voor jullie wel een rol is weggelegd.' Ze glimlacht liefjes naar Muggs. Ik voel hem teruggrijnzen. Alle jongens zijn gek op haar. De helft van haar collega's is dat trouwens ook. Vreemd eigenlijk. Ze is helemaal niet echt mooi of zo, maar ze heeft iets. Ze is klein en vrolijk en ze heeft lang, krullend rood haar, overal sproeten en prachtige groene ogen. Haar laarzen hebben precies dezelfde kleur. Ze geeft je het gevoel dat je alles kunt wat je maar wilt. Geen wonder dat iedereen in *Macbeth* wil meespelen.

Het is eigenlijk jammer dat het een stuk van Shakespeare is: er zijn genoeg rollen voor de jongens, maar voor de meisjes zijn er niet meer dan zes. Als we tenminste ook de scène van Hecate spelen. Ik ga echt geen heks spelen hoor, of iemand die maar in één scène voorkomt, zoals Lady Macduff. Nee.

Er is maar één rol die ik wil en dat is die van Lady Macbeth. En anders niet.

'Jullie moeten weten dat *Macbeth* bekendstaat als een toneelstuk dat ongeluk brengt,' waarschuwt mevrouw Taylor.

'Waarom is dat?' vraagt Muggs.

'Er schijnt een vloek op te rusten. Het brengt de acteurs ongeluk.'

'Niet,' zegt Muggs ongelovig.

'Echt waar?' vraag ik geïnteresseerd.

'Nou ja, het is een legende,' antwoordt mevrouw Taylor. 'Maar je bent toch zeker niet bijgelovig?'

'Dat weet ik niet. Daar heb ik nooit zo over nagedacht,' lieg ik.

'Maak je maar geen zorgen. Je vader zorgt er wel voor dat je niets overkomt. Ik heb hem overgehaald om toneelmeester te worden,' zegt mevrouw Taylor.

'Jij?' Ongelovig staar ik mijn vader aan. Ik wist niet dat hij toneel leuk vond.

'Ja. Ik dacht: waarom ook niet. Als jij het niet erg vindt, tenminste,' zegt papa. Hij grijnst een beetje dommig.

'Nee, gaaf juist,' zeg ik. De bel gaat en ik loop naar de ingang. Dit zou best wel eens een groot voordeel voor mij kunnen zijn. Nu kan hij mama tenminste duidelijk maken dat het goed voor me is als ik meedoe aan het toneelstuk. Maar het verbaast me wel dat hij zich heeft aangemeld.

'Waar sloeg dat nou op?' vraag ik aan Muggs terwijl we naar binnen lopen.

'Tot over zijn oren,' zegt hij lachend. Verbaasd kijk ik hem aan. 'Hij vindt haar leuk, joh.' Dan moet ik ook lachen. Mijn vader? Dat lijkt me sterk.

De ochtend vliegt voorbij. Ik kan maar aan één ding denken: de audities, tussen de middag. Mevrouw Taylor heeft beloofd dat ze ons voor het eind van de middag uit ons lijden zal verlossen. Dan zal ze een lijst met namen op het prikbord hangen.

In de pauze nemen Ali en ik de dialogen door. Ali heeft de film van Roman Polanski gezien en wil de scène spelen waarin de mooie Lady Macbeth de arme, oude en argeloze Duncan voor zich inneemt. Ali heeft geen idee wat er staat. Ze leest de tekst alsof het in een vreemde taal geschreven is, maar ze weet wel hoe ze Duncan moet verleiden.

Ik heb de scène gekozen waarin Lady Macbeth alleen is en de kwade geesten oproept om haar met wreedheid te vullen.

'Dat kun je toch niet zeggen waar al die mensen bij zijn?' piept Ali.

'Kom aan mijn borsten,
Besmet mijn melk met gal.'

'Ik zou me doodschamen!'

'Doe niet zo kinderachtig!' zeg ik mopperend. Eerlijk gezegd weet ik ook niet helemaal zeker of ik dit wel aankan, vooral omdat Muggs erbij is en al die andere mensen die een rol willen. Maar goed, het is nu te laat om er nog iets aan te veranderen. Ik moet gewoon mijn best doen.

Alles loopt gesmeerd. Gisteravond heb ik hard op mijn tekst gestudeerd en dat artikel op internet heeft me echt een nieuw inzicht in Lady M gegeven. Tijdens de auditie denk ik aan het feit dat Muggs straks mijn man speelt en dat ik alles voor hem zou doen. Als ik klaar ben met mijn auditie klapt

iedereen enthousiast. Mevrouw Taylor kijkt heel tevreden. Op dat moment besef ik dat ik de rol heb.
De auditie van Muggs heb ik niet gezien, maar dat hoeft ook niet, want hij is verreweg de beste acteur van allemaal. Bovendien is hij ontzettend betrouwbaar. Als hij iets belooft dan doet hij het ook. Mevrouw Taylor zegt dat dát nog veel belangrijker is dan talent hebben. Dus droom ik de hele middag over hoe Muggs en ik in elkaars armen de moord op Duncan liggen te plannen. Tot het vier uur is.
Muggs en ik lopen samen, hand in hand, naar het prikbord in het toneellokaal. Hij is heel stil en ik ben misselijk van de zenuwen, maar toch heb ik er meer vertrouwen in dan hij. Voor het bord staat al een groepje zenuwachtige medeleerlingen. Mevrouw Taylor komt aanlopen, met een vel papier in haar hand. Ze geeft me een knipoog. Het komt wel goed. En inderdaad! Daar staat het dan; zwart op wit.

MACBETH...DAVID MORGAN

LADY MACBETH...JESSICA BAYLISS

Muggs tilt me op en draait een rondje met me. Ik gil het uit, tot hij zijn mond op de mijne duwt. Iedereen feliciteert ons. Zelfs Ali, ook al ziet ze bijna groen van jaloezie.
Mevrouw Taylor staat te stralen. 'Gefeliciteerd,' zegt ze tegen ons. 'Morgenmiddag om vier uur beginnen we met repeteren. Zorg dat je op tijd bent!'
Ik kijk weer op de lijst. 'Wauw, Ali, jij hebt ook een rol! Je bent een heks!'
'Ik? Een heks? Laat me niet lachen.' Iedereen buldert het uit en Ali kijkt verschrikt op. Mevrouw Taylor schiet haar te hulp.

'Echt, Ali. Ik wil dat jij de derde heks wordt. Dat is een heel belangrijke rol. De heksen moeten Macbeth overhalen zodat hij doet wat zij willen. Je was heel goed tijdens de auditie. Je kunt goed verleiden. Volgens mij zijn jij, Kelly en Jade een volmaakt heksenteam.'

Ali ziet er al een stuk vrolijker uit. Kelly en Jade zitten in de derde klas en deden ook auditie voor de rol van Lady Macbeth. Ik snap wel wat mevrouw Taylor probeert te verkopen door die drie de rol van heks te bezorgen: girlpower. De drie heksen zullen Macbeth er flink van langs geven.

Papa loopt naar me toe en slaat zijn armen even om me heen. 'Gefeliciteerd,' zegt hij, glimmend van trots. 'Het lijkt me leuk om met je samen te werken.'

Ik grijns van oor tot oor. Wat ben ik toch een bofkont. Ik heb het helemaal voor elkaar: geweldige ouders, een lief vriendje en de mooiste rol in een fantastisch toneelstuk. Beter kan echt niet.

Ik rijd met papa mee naar huis. Ik kan niet wachten tot ik het mama kan vertellen. Ze is vast hartstikke trots, hoewel ze me zeker zal zeggen dat dit geen excuus is om geen huiswerk te maken.

Ik zwaai de deur open. 'Mam!' roep ik.

Ze zit in de keuken, heel hard te huilen.

Hoe kun je nu normaal eten als je leven opeens niet meer normaal is? We zitten alle drie wel gewoon aan tafel, omdat mama zegt dat we moeten eten, maar de pizza blijft in mijn keel steken. Ik kan niet meer slikken. Ik lijk wel een vogeltje: alles komt weer omhoog. Ik spuug de hap uit, op de rand van mijn bord. Niemand zegt iets.

Papa zit een beetje met zijn sla te rommelen. Ondertussen kijkt hij af en toe schuin naar mama, als hij denkt dat ze niet kijkt.

Van ons drieën ziet zij er nog het meest normaal uit. Ze heeft haar zegje gedaan en ze is weer helemaal de oude. Helemaal mama. Als de telefoon gaat mag ik hem niet opnemen. Maar ja, dat mag anders ook niet, dus wat dat betreft is er niets veranderd. Ik hoor Ali een bericht inspreken.

'Bel je me terug, Lady Macbeth? Niet te geloven dat we allebei zo'n prachtrol hebben gekregen!'

Mama schiet omhoog.

'Jess! Schat, het spijt me. Heb je de rol gekregen?'

Ik knik treurig. Die rol kan me niets meer schelen.

'Wat geweldig, zeg! Knap van je, schat. Maar dit is geen excuus om geen huiswerk meer te maken, hè?'

Ik kijk haar glimlachend aan. 'Ik wist dat je dat ging zeggen.' Dan barst ik in tranen uit.

Mama heeft borstkanker.

Ze is vandaag naar het gezondheidscentrum geweest, voor de uitslag van een onderzoek. Nu blijkt dat ze naar de borstkankerafdeling van het St John's ziekenhuis moest. Vorige week heeft ze een knobbeltje laten onderzoeken. Ze heeft er niemand over verteld. Zelfs papa niet.

'Ik dacht dat het niets zou zijn,' zegt ze steeds maar weer.

Maar het was dus wél wat. Er zit een tumor en die moet zo snel mogelijk weggehaald worden. Dus overmorgen wordt ze geopereerd. Ze moeten ook klieren weghalen uit haar oksel, om te kijken of het ook in haar lymfeklieren zit. Mama heeft het tot in detail uitgelegd. Zo is ze nu eenmaal. Ze loopt om de tafel heen en slaat haar armen om me heen. Net als vroeger, als ze me troostte na een nachtmerrie. Ik leg mijn hoofd tegen haar borst maar schrik gelijk weer op.

'O, sorry! Doet dat pijn?'

'Nee, natuurlijk niet,' zegt ze en ze duwt mijn hoofd weer tegen zich aan. Ik ruik haar lieve geur, een mengeling van kooklucht, Calvin Klein en een klein beetje zweet. Daar moet ik nog harder van huilen en ik duw haar zo hard tegen me aan dat het pijn doet. Ik zou niet weten wat ik zonder mama moest.

'Ga je nu dood?' vraag ik zachtjes.

'Wat?' roept ze. Ze denkt even na over deze vraag. Bang en met ingehouden adem wacht ik op haar antwoord. Mama liegt nooit.

'Dat ben ik in ieder geval niet van plan,' zegt ze dan.

'Ik denk dat Linda McCartney ook niet van plan was om dood te gaan,' zeg ik verdrietig.

'Jess!' zegt mijn vader streng.

'Nee, laat maar,' zegt mama. 'Denk je nou echt dat ik daar zelf nog niet aan heb gedacht? Maar hoe eerder je het ontdekt, hoe groter de kans dat je beter wordt. Na de operatie weten ze meer. Dokter Hamez denkt in ieder geval dat we er vroeg bij zijn.'

'Gaan ze je borst eraf halen?' vraag ik.

Mama kijkt me verslagen aan. 'Dat zal toch niet? Ik ben pas vierenveertig!'

De tranen rollen over haar wangen. Plotseling klinkt vierenveertig helemaal niet meer zo oud.

'Je hebt nu wel genoeg gevraagd, Jess,' zegt papa. 'Het komt allemaal wel goed. Wacht maar af.' Papa ziet wit.

Hij loopt naar mama en mij toe en slaat zijn armen om ons heen.

'Ik wou dat Carly er was,' zeg ik, met mijn mond tegen papa's schouder aan.

'Als je haar maar niets vertelt als je haar e-mailt,' waarschuwt mama. 'Zij hoeft het helemaal niet te weten.'

'Wat?' Ik deins terug. 'Maar ze wil het vast graag weten. Als we het haar niet vertellen wordt ze woest.'

'Nee,' zegt mama vastberaden. 'Ik meen het, hoor. Het heeft toch helemaal geen zin om haar van streek te maken? Ze kan toch niets doen? Tegen de tijd dat ze terug is, is alles weer voorbij. En zeg ook maar niets tegen oma. Die maakt zich alleen maar zorgen.'

Ik kijk naar papa. Er verschijnt een grijns op mijn gezicht. Mama heeft het in ieder geval nog steeds voor het zeggen hier in huis.

'Mag ik het wel aan Ali vertellen?' vraag ik dan.

Mama trekt een gezicht.

'Ja, dat is goed. We hoeven het ook niet geheim te houden. Dat was vroeger zo, maar tegenwoordig kun je er gewoon over praten. Gelukkig maar. Maar maak het niet erger dan het is, Jess. Ik ben nog lang niet dood. Ze gaan me gewoon even opereren. Meer niet.'

Ik vind het heerlijk als mama zo nuchter is. Nu voel ik me weer een stuk beter. Ik ga naar boven om Ali te bellen. Ze is nog helemaal vol van het toneelstuk.

'Gaaf hè, dat we allebei precies de rol hebben gekregen die we wilden?'

Ik moet wel een beetje lachen. Grappig dat Ali alles wat er gebeurt kan omdraaien, zodat het toch weer waar is. Ze kakelt maar door over hoe romantisch het is dat Muggs en ik man en vrouw gaan spelen en dat we zo goed bij elkaar passen.

'Ik ben zó blij dat ik de derde heks ben geworden en niet Lady Macbeth,' zegt ze. 'Ik zou al die tekst toch nooit kunnen onthouden.'

Daar heeft ze helemaal gelijk in. Ze zou hem zelfs nooit helemaal uit haar hoofd leren! Opeens ben ik bang dat het mij ook niet zal lukken. Maar dan denk ik aan Muggs. Als hij het kan, kan ik het ook. Hij heeft wel tien keer zo veel tekst als ik! Moet ik Muggs eigenlijk van mama vertellen? Ik denk dat ik wel moet. Het leven lijkt ineens een stuk moeilijker dan het was. Ik zucht even. Ik zal het toch aan iemand moeten vertellen.

'Ali, ik moet je wat vertellen. Vind je het goed als ik even langskom?'

Er valt even een stilte. Ze heeft wel door dat het iets ernstigs is.

'Je bent toch niet in verwachting, hè?'
'Ali!' Ik dacht het niet, zeg! Ik heb 'het' nog niet eens gedaan, maar ik heb geen zin om daar verder op in te gaan.
'Nee, ik ben niet in verwachting. Ik kom er zo aan, dan leg
ik het je wel uit.'
Ik vertel mama en papa nog even dat ik wegga. 'Maak je het
niet te laat?' zegt mama nog. Papa zwaait alleen maar. Ze
zitten samen op de bank, met hun armen om elkaar heen. Ze
zitten naar een liedje van Paul McCartney te luisteren.

'Zul je me dan nog steeds nodig hebben,
Zul je me nog steeds eten geven
Als ik vierenzestig ben?'

Normaal gesproken krijg ik hier de kriebels van.
Vandaag moet ik er bijna van huilen.

Als ik thuiskom, ligt mama al in bed. Papa zit aan de telefoon. Hij hangt net op.

'Wie was dat?' vraag ik.

'O, dat was mevrouw Taylor,' zegt hij. 'Ik wilde een paar dagen vrij nemen. Dan kan ik bij je moeder blijven. Ik heb even wat opdrachten voor mijn leerlingen doorgegeven.'

Lieve pap. Echt iets voor hem om thuis te willen blijven om mama te helpen en bij haar te zijn. Ik geef hem een kus. Hij haalt zijn hand door mijn haar.

'Gaat het wel met je?' vraagt hij.

'Ja hoor,' zeg ik. Nee hoor, denk ik. De reactie van Ali heeft me helemaal van streek gemaakt.

'Borstkanker!' riep ze toen ik het vertelde. 'Heeft je moeder borstkanker? Jess, wat vreselijk!'

Haar oma is blijkbaar aan borstkanker overleden. En verder bijna iedere andere vrouw in haar omgeving.

Raar genoeg is het Debbie, de moeder van Ali, die me geruststelt.

'Het komt wel goed, Jess,' zegt ze. 'En maak jij je niet zo druk, Ali. Er is heel wat veranderd sinds je oma borstkanker had. Jess, je moeder is toch hartstikke fit?'

Dankbaar lach ik naar haar. Ik heb haar eigenlijk nooit echt als een moeder gezien. Meer als een oudere zus van Ali. Ze is nooit met de vader van Ali getrouwd en ze heeft iedere keer iemand anders, net als Ali zelf. Zij en Ali hebben zelfs samen een navelpiercing genomen. Debbie is best cool hoor, maar stiekem ben ik blij dat ik een stel tutten van middelbare leeftijd als ouders heb. Een vader en een moeder die al eeuwen getrouwd zijn en die op vrijdagavond een hele reeks soapseries op de video kijken onder het genot van een fles rode wijn.

En nee, ik mag inderdaad geen navelpiercing van mijn moeder. Dat geeft trouwens niet, want ik vind piercings toch maar suf. Of 'passé', zoals mevrouw Taylor zou zeggen.

Ik hou het voor gezien voor vandaag. Het was spannend genoeg allemaal. 'Ik ga naar bed,' zeg ik tegen papa. Hij zit op de bank. Ik sla mijn armen om zijn nek en ik geef hem een kus op zijn kruin, daar waar hij een beetje kaal wordt. Dan geeft hij me een klopje op mijn arm.

'Welterusten, lieverd,' zegt hij met een trieste glimlach. Hij ziet er moe uit. Arme papa.

Boven ligt mama al te slapen, met het licht aan en haar boek opengeslagen naast zich. Het liefst zou ik naast haar kruipen, zoals ik dat vroeger altijd deed toen ik klein was, maar ik wil haar niet wakker maken. Daarom doe ik het licht maar uit. Ik geef haar een kus op haar voorhoofd. Ze draait haar hoofd en mompelt iets wat ik niet versta. Ze ziet er heel vredig uit.

Ik ben allesbehalve vredig. Als ik in bed lig voel ik mijn hoofd tollen. Wat een dag, zeg! Met pieken en dalen. Mooi en afgrijselijk. Een regel van de heksen dreunt door mijn hoofd:

Grauw is goud en goud is grauw.

Urenlang lig ik te malen. Alles wat er die dag gebeurd is dwaalt door mijn hoofd: de kick van de auditie en het applaus na afloop; het gejuich en de blijdschap toen de namenlijst werd opgehangen; het gevoel van Muggs' kus. Een van de mooiste momenten van mijn leven.

En dan herinner ik me weer het moment dat mama met haar nieuws kwam, een van de ergste momenten van mijn leven. Wat zeg ik? Het allerergste moment. Kanker! Het woord dreunt maar door in mijn hoofd. Kanker. Alleen oude mensen die roken als een ketter krijgen kanker. Andere mensen, niet wij. Mensen sterven aan kanker.

Rustig nou, zeg ik tegen mezelf. Is *cancer* niet gewoon kreeft in het Engels? Is cancer niet een teken van de dierenriem? Ja. Meer is het niet. Het kan geen kwaad.

Maar toch... het is een kreeft die zijn klauwen in je zet en je niet meer loslaat.

Ik lig maar te woelen. Het is warm in bed en ik lig niet lekker. Ik moet met iemand praten. Daarom stuur ik Muggs een sms'je.

Ik kan niet slapen, klaag ik.

Binnen een paar seconden krijg ik antwoord: Macbeth heeft de slaap gedood.

Als ik dit vanochtend had gelezen had ik erom moeten lachen. Nu vind ik het maar eng. Wat had mevrouw Taylor ook alweer gezegd? Dat het spelen in *Macbeth* de acteurs ongeluk bracht? Dat zal ik morgen eens op internet opzoeken. Net als borstkanker.

Grauw is goud en goud is grauw.

Ik sta op om in de badkamer een glas water te pakken. Mama ligt zachtjes te snurken. Papa hoor ik ook. Die zit aan de telefoon. Het is twee uur 's ochtends. De wereld staat op zijn kop. Eindelijk val ik in een onrustige slaap. Ik droom over mama en papa en over mevrouw Taylor, Muggs, Ali en mezelf. We rennen allemaal achter elkaar aan in steeds kleinere kringetjes. We worden achternagezeten door een gigantische kreeft. De heksen staan erbij en kijken ernaar. Ze lachen, ze lachen... Ergens hoor ik een trommel...

Ik word wakker van Ali, die op de voordeur staat te bonzen. We hebben ons allemaal verslapen. Papa heeft de wekker niet gezet omdat hij toch niet naar school gaat en mama ook niet. Ze moet weer naar het gezondheidscentrum, dit keer voor een injectie.

Ik had best een dag vrij kunnen regelen, maar dat wil ik niet. Vanmiddag, na schooltijd, beginnen de repetities voor *Macbeth*. Tegen Ali zeg ik dat ze best alvast mag gaan. Ze zegt dat ze dat niet wil. Als mama de keuken binnen komt, snap ik opeens waarom. Ali staart naar mijn moeder. 'Hoe gáát het nou met u, mevrouw Bayliss?' vraagt ze met een lage, bezorgde stem.

'Goed hoor, Alison,' antwoordt mama een beetje geïrriteerd, terwijl ze de waterkoker vult. Ze is nooit dol geweest op Ali. Het is wel duidelijk dat Ali's medelijden haar op de zenuwen werkt. 'Waarom zou het niet goed gaan?'

'O, zomaar,' zegt Ali met een rood aangelopen hoofd. 'Maar het lijkt wel alsof u vandaag niet naar uw werk gaat. Vandaar.'

'Nee,' zegt mama. Ze kijkt Ali vuil aan. 'Ik weet niet hoe laat we vanavond terug zijn, Jess,' zegt mama dan. 'Je vader gaat met me mee.'

'Dat geeft niet, hoor. Ik ben zelf ook laat, want we hebben repetitie.'

'O ja, natuurlijk,' zegt mama. 'Succes ermee, schat. Ik zal aan je denken.' Ze schenkt twee bekers thee in: een voor haar en een voor papa. 'Je moet wel opschieten hoor, anders kom je te laat.'

Met mijn boterham in mijn hand loop ik met Ali naar school. Ik hoor haar hersenen kraken.

'Je moeder ziet er echt goed uit,' merkt Ali op.

'Waarom zou ze er niet goed uitzien?' vraag ik, te snel.

'Nou ja, ze is toch zo... je weet wel.'

'Nee, ik weet niet. Wat bedoel je nou?'

'Zo... ziek.'

'Ze is niet ziek, muts, ze heeft kanker.' Het klinkt mij ook een beetje vreemd in de oren. Zwijgend lopen we verder tot we bij school zijn. Ik vind mezelf eigenlijk een beetje gemeen. Ali pikt ook altijd alles wat ik zeg. 'Sorry dat ik zo lelijk deed,' zeg ik dan.

'Dat geeft niet, hoor. Ik snap het best,' zegt ze vrolijk en ze knijpt even in mijn arm. 'Laat maar, joh. Ik weet precies wat je meemaakt. En ik wilde je even zeggen dat ik altijd voor je klaarsta.'

Ongelovig staar ik haar na, terwijl zij het schoolplein op loopt. Ali Brown heeft blijkbaar opeens een missie. Ze 'staat klaar' voor de zielige vriendin met de stervende moeder. Ik kan haar wel wat aandoen.

Muggs ziet me staan en komt naar me toe. 'Heb je vannacht nog een schoonheidsslaapje kunnen doen?' vraagt hij. 'Wat denk jij?' zeg ik. Ik laat mijn arm door de zijne glijden. 'Je ziet er geweldig uit,' zegt hij en hij geeft me een kus. Mijn eerste vandaag. Die van mijn moeder niet meegerekend dan. 'Wat zei je moeder ervan dat je de rol hebt gekregen?' 'O, ze vindt het helemaal top,' zeg ik. Ik heb geen zin om er nu iets over te zeggen. 'Laten we maar naar binnen gaan. De bel gaat zo. Ik zie je in de pauze wel.'

Tijdens de Engelse les komt mevrouw Taylor naar me toe om te vragen hoe het met mama gaat.

'Goed hoor,' zeg ik. Ik voel dat Ali zich naar me toe draait en met een glimlach afwisselend naar mij en naar mevrouw Taylor kijkt. Het liefst zou ik die medelijdende glimlach van haar gezicht slaan.

'Zeg maar tegen je vader dat hij alle tijd moet nemen,' zegt mevrouw Taylor. 'Hij moet nu maar bij je moeder blijven.'

Ik voel me er vreselijk ongemakkelijk bij. Het lijkt nu net of het allemaal veel erger is dan mama liet blijken. Papa weet heus wel dat hij nu bij mijn moeder moet blijven. Dat hoeven ze hem echt niet te vertellen. Ik krijg het benauwd. Het lijkt wel of ik omsingeld word door een hele meute mensen.

Ik denk dat ik daarom in de pauze ook maar niets over mama zeg tegen Muggs. Hij is nog steeds zo blij dat hij de rol van Macbeth heeft gekregen. Bovendien wordt hij omringd door heksen.

Kelly Harris en Jade Bottrill, de twee meest irritante meiden uit de derde, zijn benoemd tot eerste en tweede heks. Mevrouw Taylor heeft in gedachten de drie heksen omgedoopt tot meidengroep, die met hun seksuele aantrekkingskracht Macbeth in de val proberen te laten lopen. Het klinkt ook erg logisch, moet ik toegeven. Ik bedoel, Macbeth zou nooit voor een bende lelijke, oude wijven zijn gevallen.

Het probleem is alleen dat ze zich een beetje te veel inleven in hun rol, ook buiten het toneellokaal. Ze zwermen om Muggs heen alsof hij een bijenkorf is. Kelly is al jaren smoor op Muggs, dus die kan haar geluk niet op. Als ik de aula binnen kom, kijken ze me allemaal aan alsof ik een of andere besmettelijke ziekte heb. Muggs weet zich uit hun klauwen te bevrijden en loopt naar me toe. Hij slaat zijn arm om me heen.

'Wat doe jij tussen de middag?' vraagt hij.

'Frans huiswerk. Daar ben ik gisteravond niet aan toegekomen.'

'Je had het zeker te druk met feesten?'

'Zoiets ja.' Vanuit mijn ooghoek zie ik de twee heksen staan roddelen. Ik weet zeker dat ze het over mij hebben.

Maar ja, de meeste meisjes uit de bovenbouw vinden het ook niet leuk dat de jongens hun jongere vriendinnen meenemen naar hun aula. Te veel concurrentie, denken ze. Ik ben benieuwd wat ze ervan vinden dat Ali hun collega-heks is.

Normaal gesproken kan het me niet zoveel schelen als er over me gekletst wordt, maar vandaag voel ik me er niet lekker bij. Het klinkt natuurlijk gestoord, maar nu mama kanker heeft, voel ik me ineens een stuk minder zeker van mezelf. Dit is in ieder geval niet het juiste moment om Muggs te vertellen wat er met mijn moeder aan de hand is.

De bel gaat.

'Ik zie je na school wel, bij de repetitie.' Ik geef Muggs een kus op zijn wang. Plotseling hoor ik Kelly en Jade kakelen, dus ik weet dat ze staan te kijken.

'Ik kan niet wachten,' zegt Muggs glimlachend. *'Welke plek?'*
'Ginds op de hei,' antwoord ik, terwijl ik de aula uit loop.
'Daar is het dus: Macbeth en wij.' Hij werpt me een kushand toe.
Ik lach terug. Hij maakt me gelukkig. Misschien komt alles
toch wel goed.
Kelly bemoeit zich er ook even mee.
'Grauw is goud en goud is grauw;
Zweef door damp en helledauw.'
De twee heksen barsten in lachen uit. Ik doe net alsof ik te
laat ben voor mijn les en ren ervandoor.

De eerste repetitie bestaat uit het lezen van de tekst. We vinden het allemaal superspannend, maar zodra mevrouw Taylor binnenkomt vallen we stil. Sommige leraren krijgen de klas nooit stil, bij andere kun je meteen een speld horen vallen.

Ze neemt het schema met ons door. De uitvoering is in de derde week van september. Het is nu eind mei. Dat betekent dat we dus vier maanden de tijd hebben. Als je bedenkt dat er een zomervakantie van zes weken tussen zit is dat eigenlijk helemaal niet lang.

'Voordat we beginnen wil ik dat jullie beloven dat je je voor de volle honderd procent inzet,' zegt mevrouw Taylor. 'Kun je dat niet, dan kun je maar beter meteen vertrekken.'

Niemand zegt iets. De meesten van ons hebben al eerder meegedaan. Iedereen weet hoe geweldig het is om mee te doen. Vorig jaar, toen we *The Little Shop of Horrors* deden, hadden we ook al zo veel lol. Het was een musical over een gestoorde tandarts die een vleesetende plant had. Muggs speelde toen Seymour, een heel aardige vent, die de heldin (Kelly, getver!) van de vleesetende cactus redt. Muggs was fantastisch. Ik speelde de cactus. Het was bloedheet in dat pak. Ik ben wel drie kilo afgevallen.

'Goed dan. Ik heb een schema gemaakt voor alle repetities tot het eind van het schooljaar. Natuurlijk hebben sommigen van jullie meer te doen dan anderen. Meneer Bayliss, de vader van Jessica, is zo vriendelijk om ons bij te staan, hoewel hij er vandaag even niet bij kon zijn.'

Iedereen draait zich vliegensvlug naar mij om. Tot mijn grote ergernis voel ik mijn gezicht rood worden.

'Vandaar dat ze die rol heeft gekregen,' fluistert Kelly tegen Jade, maar zó hard dat ik het kan horen. Ik bloos zo erg dat het pijn doet.

'Dames, dames,' zegt Muggs afkeurend. Kelly kijkt een beetje beschaamd. Mevrouw Taylor doet net of ze niets doorheeft.

'We beginnen met de heksen. Ik wil graag hun relatie met Macbeth uitwerken. De anderen kunnen gaan. Jess, bekijk jij voor morgen het eerste bedrijf, de vijfde scène? O! Je komt morgen toch wel, hè?'

'Ja, natuurlijk.' Waarom zou ik niet komen? Opeens begrijp ik dat ze het over de operatie van mijn moeder heeft. Ik ben helemaal in de war: nu lijkt het net alsof ik niet genoeg aan mama heb gedacht. En hoe komt het trouwens dat zij zoveel over mijn privéleven weet? Muggs kijkt me verbaasd aan.

'Wat is er aan de hand?'

'Dat leg ik later wel uit,' zeg ik, terwijl ik langs hem heen loop. 'Kom je na de repetitie even langs?'

'Kom op, Muggs!' roept Ali. 'We willen beginnen.'

Ik zie nog net hoe Kelly Muggs' hand pakt en hem de heksenkring binnen trekt.

Mijn hoofd tolt. Ik loop naar huis en doe de deur open. Wat kan één dag toch veel verschil maken. Mama en papa zijn er nog niet. Die zijn zeker nog steeds in het ziekenhuis. Het huis voelt anders dan anders. Leeg. Normaal gesproken zou ik dat hartstikke fijn vinden, maar vandaag lijkt het net een grafkelder: koud en leeg. Ik zet een kopje thee en ga zitten internetten.

Mevrouw Taylor had gelijk: *Macbeth* brengt echt ongeluk. Degenen die in *Macbeth* spelen overkomt altijd wel iets: ongelukken, sterfgevallen en op een gegeven moment is er zelfs een heel theater ingestort terwijl daar *Macbeth* werd gespeeld.

Het verbaast me eigenlijk niets. Een toneelstuk dat zo bol staat van geesten, moorden, hekserij en bovennatuurlijke gebeurtenissen móét wel slechte stralingen geven. Of niet? Nee. Ik ben toch zeker niet bijgelovig?

Niet op de voegen staan,
Ja zuster, nee zuster...

Doe niet zo gek. Wat een kinderachtige onzin.

Over borstkanker is heel veel te vinden. Veel statistieken en grafiekjes. In Groot-Brittannië krijgt een op de negen vrouwen borstkanker. Waarom ken ik er dan geen een? Behalve mijn moeder? In Engeland en in Amerika is de kans op borstkanker het grootst, in Japan veel kleiner. Hoe zou dat komen?

Er staat ook heel veel over behandelingen op internet. Operaties, chemotherapie, bestralingen. Het klinkt allemaal afschuwelijk. Ik surf verder, op zoek naar prognoses.

Dat had ik beter niet kunnen doen. Ik krijg weer allemaal cijfertjes te zien en verwijzingen naar 'overlevingskansen na vijf jaar'. Vijf jaar? Langer krijgt mijn moeder niet? Als ik verder lees, zie ik dat dat alleen in de gunstigste gevallen is. Ik krijg het er koud van.

De deurbel gaat. Ik schrik me rot.

Het is Muggs.

'Wat is er?' vraagt hij als hij me aankijkt. Ik trek hem mee naar de woonkamer en sla mijn armen om hem heen.

'Mijn moeder heeft kanker,' zeg ik, met mijn mond tegen zijn trui.

Ik voel hem verstijven.

'Wat voor kanker?' vraagt hij zachtjes.

'Borstkanker.'

Hij houdt me heel stevig vast. Zachtjes hoor ik zijn hart bonzen.

'Shit!'

Ik begin te huilen.

'Ik ben zo bang. Op internet staan zo veel erge dingen over borstkanker.'

'Kom. Laat me maar even kijken.' Muggs gaat achter de computer zitten en leest wat er op het scherm staat. 'Maak je maar niet zo druk,' zegt hij na een tijdje. 'Het is allemaal niet zo erg als hier staat. Dit zijn wetenschappelijke onderzoeken. Die gaan altijd uit van het ergste.'

Eindelijk kan ik me een beetje ontspannen en ik ga op zijn schoot zitten. Hij kust me en likt mijn tranen weg.

'Mmm. Zout.'

We horen de sleutel in de deur. Ik spring van zijn schoot af.

'Jess?' roept mijn moeder. 'Ben je daar?'

'O, hallo David,' zegt papa als hij de woonkamer binnen loopt. 'Wat zijn jullie aan het doen?'

'Een beetje huiswerk,' zegt Muggs, terwijl hij ongemerkt het scherm wegklikt. 'Hoe gaat het met jullie?'

'Goed hoor,' antwoordt mama, die binnenkomt met een stapel boeken in haar handen. *Hoe ga ik om met kanker* is de titel van een van de boeken.

'Ik dacht dat jij naar het ziekenhuis moest?' vraag ik verbaasd.

'Dat moest ik ook, maar dat duurde niet de hele dag. We hebben lekker geluncht en gewinkeld. Kijk eens, ik heb iets voor je.'

Ik kijk in de tas die ze me geeft. Er zit een T-shirt in dat ik al heel lang wilde hebben.

'Dank je wel, mam!'

'Alsjeblieft, schat. En nu ga ik mijn tas inpakken. Zullen we vanavond wat laten bezorgen? Dan drinken we er een fles wijn bij. Blijf jij ook eten, David?' Ze ziet er stralend gelukkig uit. Net of ze juist van vakantie terugkomt.

Ik snap geen barst van volwassenen. Zit ik me een beetje de hele dag zorgen te maken, terwijl zij de tijd van haar leven heeft gehad!

De volgende ochtend is ze lang niet zo vrolijk. Ze is dezelfde gestreste moeder als wanneer ze naar school moet en haar sleutels kwijt is, of haar aantekeningen. Niets is goed en papa moet het flink ontgelden.

'Wil je een boterham?' vraagt hij aan haar. Oeps. Helemaal fout.

'Nee hoor, dank je,' snauwt mijn moeder.

Verbaasd kijkt hij haar aan.

'Over vijf uur moet ik onder narcose, voor het geval je het vergeten bent.'

'Sorry, schat. Daar heb ik helemaal niet bij nagedacht,' zegt hij sip.

'Nee. Dat zijn we onderhand wel gewend.' Als mama eenmaal in zo'n bui is, kan niemand iets goed doen. 'Ik wou dat ik gisteravond niet al die wijn had gedronken. Waarom heb je me dat nou laten doen?'

Papa kijkt me even hopeloos aan, met opgetrokken wenkbrauwen. Mama is nu eenmaal niet te stoppen. Dat is ze ook nooit geweest.

'Het kon toch geen kwaad? Ik dacht dat je dan een beetje zou ontspannen,' zegt hij lief.

'Ontspannen!' gnuift ze. 'O, trouwens,' zegt ze dan, 'waar

zijn mijn ontspanningsoefeningen?' Ze stuift de keuken uit, op zoek naar haar cassettebandje met oefeningen. Papa lacht een beetje zuinig naar me. Ik lach terug.

'Succes ermee. Bel je me als je uit school komt?' vraagt hij.

Inmiddels is mama weer terug, met het bandje in haar hand. 'Gevonden! Ga jij maar, Jess, anders kom je te laat. Krijg ik een kus?'

Ik sla mijn armen stevig om haar heen. Op de een of andere manier lijkt ze veel dunner dan anders, breekbaar. Het voelt heel anders dan als ik Muggs omhels. Mama en ik zijn ongeveer even lang. Onze borsten drukken tegen elkaar. Dit is de eerste keer dat ik eigenlijk pas goed besef dat we allebei vrouw zijn.

'Ik hou van je,' fluister ik tegen haar nek. 'Het komt toch allemaal wel goed, hè?'

'Natuurlijk komt het goed,' zegt ze en ze drukt me nog even stevig tegen zich aan. 'Morgen zie je me weer en dan ben ik weer helemaal de oude. Ga nu maar. Je bent al laat.'

Ze doet de deur voor me open. Aan het eind van de straat draai ik me nog even om naar ons huis om te zwaaien, net zoals ik dat vroeger altijd deed. Papa staat naast haar, met zijn arm om haar heen. Ze zwaaien allebei terug. Ik voel tranen opkomen. Ali staat al op me te wachten, zie ik. Het medelijden straalt van haar af. Zo snel als mijn tranen opkwamen, zo snel zijn ze ook weer verdwenen.

De dag vliegt om. Mama wordt om twee uur geopereerd, maar rond die tijd heb ik een wiskundeproefwerk. Pas als ik mijn pen neerleg en op de klok kijk denk ik er weer aan. Hoe lang de operatie duurt weet ik niet, maar papa zou bij haar blijven tot ze wakker werd. Als alles goed gaat mag ze morgen weer naar huis.

Papa kennende zou hij het liefst de hele nacht in het ziekenhuis blijven, zoals toen die ene keer bij mij, toen mijn amandelen geknipt waren. 's Nachts sliep hij op een veldbedje naast mijn bed. De andere kinderen op de zaal vonden hem geweldig, vooral toen hij al het verband uit de voorraadkast plunderde en hij zich van top tot teen als een mummie liet inpakken. Toen de zuster erachter kwam was de pret natuurlijk voorbij. Wat was die kwaad, zeg!

'Ga je mee naar de stad?' vraagt Ali 's middags na school.

'Nee, ik kan niet. Ik heb repetitie,' zeg ik. Dan loop ik naar het toneellokaal. Mevrouw Taylor is er al. Vandaag zijn we maar met ons tweetjes. Ze wil het karakter van Lady Macbeth met me bespreken en de eerste scène. Als Muggs zijn hoofd om de hoek steekt zegt ze dat hij moet opzouten. Hij doet net of hij beledigd is. Ik moet lachen.

'Ik zie je straks wel!' roep ik hem na.

'Wat vind je eigenlijk van hem?' vraagt mevrouw Taylor.

'Van Muggs?' vraag ik verbaasd.

'Ook goed. Maar ik dacht meer aan Macbeth.'

Daar heb ik al over nagedacht.

'Ik ben echt smoorverliefd op hem,' zeg ik dan. 'Ik hou heel veel van hem.'

'Mooi. Wat is hij voor iemand?'

'Het is gewoon een aardige vent. Hij is overal goed in. Iedereen vindt hem aardig.' Hetzelfde geldt ook allemaal voor Muggs. Dit hele toneelstuk wordt makkelijker dan ik had gedacht.

'Wat zou je voor hem overhebben?'

'Alles.'

'Alles?'

Nu begin ik me een beetje ongemakkelijk te voelen. Mevrouw Taylor kijkt me zo doordringend aan. En ik zit hier maar een beetje aan Muggs te denken.

'Alles.'

'Prima. Dat moet je nooit vergeten. En denk erom dat die hartstocht precies de reden is waarom Lady Macbeth doet wat ze doet. Laat nu je eerste tekst maar horen, de scène waarin je zijn brief ontvangt.'

Mevrouw Taylor weet als geen ander hoe ze het beste in je naar boven moet halen. Haar voorgangster vertelde ons ook altijd wel precies wat we moesten zeggen, maar mevrouw Taylor wil eerst zeker weten dat we onze personages begrijpen. Daarna mogen we het zelf zo'n beetje uitzoeken. Het wordt echt een cool toneelstuk. En ik ga de sterren van de hemel spelen.

De tijd vliegt. Het is inderdaad veel makkelijker dan ik dacht. Ik voel me echt verbonden met Lady Macbeth en met hoeveel ze van haar man houdt. Ik realiseer me ook dat zij waarschijnlijk niet veel ouder is dan ik nu ben. Ze heeft lef en dat vind ik knap aan haar. Ze doet alles om ervoor te zorgen dat Macbeth krijgt wat zij wil dat hij krijgt. En dan de woorden die ze gebruikt om zichzelf tot moorden aan te zetten. Prachtig:

Lijk op de bloem,
Maar wees de slang eronder.

Ha! Ik ken nog wel een paar andere mensen op wie die woorden van toepassing zijn. Kelly Harris, bijvoorbeeld. Vanmiddag als ik thuiskom zal ik mama vragen of ze mijn tekst nog een keer met me wil doornemen, om zeker te weten dat ik het precies goed doe.

Mama. Die was ik bijna vergeten. Het is toch niet te geloven dat ik me daarvoor kan afsluiten? Ze is vandaag geopereerd aan kanker! Wat ben ik toch een egoïstisch kreng. Mevrouw Taylor ziet mijn gezicht verschieten en stuurt me naar huis. Op weg naar huis gaat mijn mobiele telefoon. Het is papa. 'Het is allemaal goed gegaan. Ze is weer bij, maar ik blijf nog even bij haar. Ik zie je thuis wel.'

Ik stap het lege huis binnen. Dat begint een beetje de gewoonte te worden. Een paar dagen geleden had ik nog staan juichen. Ik zou er alles voor overhebben om mijn moeder in de keuken te horen. Nu is het hier te stil.

Daarom ga ik naar Muggs toe. Daar is het allesbehalve stil. Sterker nog, het is er een gekkenhuis. We eten afhaaleten en kijken realityseries terwijl we af en toe een neus of een kont afvegen, of een kind terug naar bed sturen omdat Muggs' moeder en stiefvader ons als gratis oppas hebben ingezet en zelf in de kroeg hangen. Lekker romantisch!

Toch voel ik me wat beter nu ik tegen Muggs aangeleund zit te kijken hoe er bij *Big Brother* weer een arme ziel uit het huis wordt gekinkeld. Met mama gaat het goed, morgen is het zaterdag en dan is alles weer net zoals het was. Precies zoals ik het eigenlijk wel prettig vind.

In mijn eentje loop ik naar huis, omdat Dee en Ron (zo moet ik ze noemen, zeggen ze!) nog in de kroeg zitten en ik toch wel heel graag naar huis wil omdat ik zo moe ben. Voordat ik in bed kruip, neem ik nog even een bad. Papa komt pas thuis als ik allang lig te slapen. Hij steekt zijn hoofd om de hoek.

'Hoe laat is het?' vraag ik slaperig.

'Niet zo laat. Ik heb gewacht tot je moeder sliep. Het gaat goed met haar. Ga maar weer lekker slapen.'

Hij geeft me nog een kus. Ik ruik alcohol. Ik kijk op de wekker. Het is kwart voor twee.

Het wordt een raar weekend. Mama komt zaterdag helemaal niet naar huis. Tussen de middag ga ik met papa mee naar het ziekenhuis om mama op te halen, maar ze zit nog in haar nachtpon op bed. Ze kijkt boos. Er is iets mis met de drains. 'Dan moeten we de loodgieter maar bellen,' zegt papa in een poging de boel een beetje op te vrolijken. Maar mama lacht niet. Er komen twee slangetjes uit haar lichaam: een uit haar borst, de andere uit haar oksel. Er loopt een gelige vloeistof doorheen die wordt opgevangen in twee plastic zakken. Het ziet er maar smerig uit. Nu blijkt dat ze pas naar huis mag als er geen troep meer uit komt.

'Waarom komt er een slangetje uit je oksel?' vraag ik.

'Samen met de tumor hebben ze ook stukjes lymfeklier weg-gehaald,' legt mama uit.

'Waarom?'

'Om te zien of het is uitgezaaid.' Ze kijkt even naar me. 'Kijk niet zo, Jess. Het is maar uit voorzorg.'

Het was nog helemaal niet in me opgekomen dat het wel eens uitgezaaid zou kunnen zijn. Ik dacht dat alles voorbij zou zijn als de tumor was weggehaald. Ik besluit om dit maar even te vergeten. Daar moet ik me later maar zorgen over maken.

'Wat zie je er moe uit, Jess. Hoe laat ben je gisteravond naar bed gegaan?'

'Weet ik niet. Een uur of halftwaalf, denk ik.'

'Dat is veel te laat,' zegt ze streng. 'Rob, ik heb nog zo gezegd dat je moest zorgen dat ze vroeg naar bed ging.'

Verbaasd kijk ik papa aan. Net als ik wil zeggen dat hij dan wel vroeg thuis had moeten komen, zie ik hem bezorgd naar me kijken. Hij schudt bijna onmerkbaar met zijn hoofd. Waar slaat dat nou weer op?

Dan komt er een verpleegster binnen om de drains te controleren en vergeet ik er iets van te zeggen.

'Zal ik je ergens afzetten, Jess?' vraagt papa als we weer in de auto zitten.

'Gaan we dan niet naar huis?'

'Ik wilde even naar school om de roosters te doen. Dat kan ik maar beter doen nu je moeder er toch niet is.'

'Maar het is zaterdag!' Dat vind ik helemaal niets voor papa. In het weekend loopt hij meestal thuis een beetje te lanterfanten en sport te kijken, tot mijn moeder weer een klusje voor hem heeft verzonnen. Nu heeft hij eindelijk de kans om in alle rust voetbal te kijken en dan gaat hij werken! Mannen...

Er zit natuurlijk wel iets in. Zonder mama is het toch allemaal anders. Ik voel me rot. Daarom probeer ik lollig te doen. 'School dus? Ja ja. Ondertussen heb je natuurlijk een afspraakje.'

Dit is een standaardgrapje. Nu moet papa de mooie blonde mevrouw beschrijven met wie hij dat afspraakje heeft. Maar hij reageert niet. Ik probeer het nog een beetje aan te dikken.

'Nu we het er toch over hebben, waar was u gisteravond zo

laat eigenlijk, meneer Bayliss? Wat hebt u nog gedaan nadat u uit het ziekenhuis kwam?'

Tot mijn stomme verbazing begint hij uit te leggen dat hij echt aan drank toe was en dat hij op weg naar huis nog wat moest afhalen bij Cathy.

'Cathy? Mevrouw Taylor?'

'Ja. Ze vertelde nog dat het hartstikke goed ging met de repetitie.'

'Zo goed ging het anders niet,' zeg ik, een beetje geschokt. Het is niets voor mevrouw Taylor om iemand de hemel in te prijzen, tenzij ze het echt hebben verdiend. 'Ik ben nog niet eens echt begonnen. Ik zit nog helemaal niet in mijn rol.'

'Nou ja. Ze vond het toch goed gaan,' vervolgt hij, een beetje ongemakkelijk. 'Zeg trouwens maar niet tegen je moeder dat ik niet direct van het ziekenhuis naar huis ben gegaan. Dan krijg ik de schuld dat ik niet goed op je pas.'

Ik glimlach voor me uit. Bij mij is zijn geheim veilig. Ik ga haar echt niet vertellen dat hij eerst iets is gaan drinken voordat hij naar zijn dierbare dochter terugging. Sinds Carly weg is probeer ik juist een beetje vrijheid te krijgen, omdat mijn liefhebbende ouders nogal de neiging hebben al hun aandacht nu op mij te richten.

Papa zet me af bij Ali. Debbie, de moeder van Ali, komt net het tuinhek uit. Ze heeft de kinderwagen met Ali's jongere zusje, Lola, bij zich. Ze blijft even bij mijn vader staan om te vragen hoe het met mama gaat.

'Doe haar de groeten,' zegt ze. 'Zeg maar dat ik volgende week wel even langskom.'

Ja, daar zal mama blij mee zijn. Maar niet heus. Mama vindt Debbie sowieso niet veel soeps, maar als ik Debbie nu zo zie, in haar minirok, haar hoge hakken en haar laag uitgesneden topje, denk ik dat mama helemaal geen behoefte heeft aan haar bezoek. Maar papa lacht naar haar alsof mama het fantastisch zou vinden als ze langskwam.

Ali zit in haar slaapkamer naar een nieuwe cd te luisteren terwijl ze haar teennagels lakt. Vanavond gaat ze uit met Sean. Ze is helemaal hyper.

'We gaan naar de Star Bar,' zegt ze. Ze heeft een masker op haar gezicht, dus houdt ze haar tanden op elkaar terwijl ze praat. 'Daar wil ik al eeuwen naartoe.'

'Ze laten je echt niet binnen hoor. Je bent nog geen achttien.'

'Wacht maar af,' zegt ze met een grijns. 'O nee! Nou breekt mijn gezicht! Maar als ik eenmaal klaar ben weet ik zeker dat ik er heel gaaf uitzie. Moet je zien wat ik aanheb!'

Ze heeft speciaal een roze topje met open rug gekocht en een zwart miniminirokje. Mijn moeder zou erin blijven als ze me daarin zag. Eerlijk gezegd zou ik zoiets nooit aandoen. Ik ben bang dat mama gelijk heeft. Ik heb inderdaad wat meer ondersteuning nodig. Bovendien ben ik wat subtieler dan Ali.

'Je maakt hem vast helemaal gek met die kleren,' zeg ik glimlachend.

'Ik hoop het maar. Ik vind hem echt heel leuk. Misschien is hij zelfs wel de ware.'

'Ali! Sinds wanneer? Vorige week zag je hem nog helemaal niet zo zitten,' protesteer ik. Ik kan die relaties van Ali niet bijhouden, hoor.

'Dat was vorige week. Ik heb hem inmiddels heel wat beter leren kennen. Echt heel veel beter,' voegt ze er veelbetekenend aan toe.

'Wat? Ali, je hebt het toch niet...!'

'Nog niet, nee,' zegt ze, terwijl ze haar gezicht met een watje afveegt. 'Maar dat duurt niet lang meer.'

'Doe je wel voorzichtig?' waarschuw ik. Ik zie Ali al helemaal eindigen als haar moeder, met een kind voordat ze twintig is.

'Ja hoor, mam.' Ali gooit het watje in de prullenbak en doet de bovenste la van de commode open. 'Ik ben echt niet achterlijk, hoor. Ik heb niet voor niets bij de padvinders gezeten.' Ze haalt een doos met lichtgevende condooms uit de la en stopt ze in haar handtas. 'Zie je, ik ben voorbereid.'

Ik kijk vast ontzettend geschokt, want ze reageert geprikkeld.

'Kijk niet zo, Jess. Je lijkt je moeder wel.'

Om de een of andere reden irriteert me dat mateloos. Ik bedoel, waarom valt ze mijn moeder aan terwijl ze er niet bij is en zich niet kan verdedigen? En trouwens, het is mijn taak om mijn moeder af te zeiken, niet de hare. Ik word nu echt kwaad.

'Ik vind alleen dat je je een beetje te snel laat verleiden. Meer niet.'

Ali loopt rood aan. 'Aha. Dus omdat jij en je vriendje het nog niet doen, vind je dat anderen het ook nog maar niet moeten doen. Dat bedoel je toch, hè? Nou meid, niet iedereen is zo'n diepvrieskip als jij!'

'Ik ben geen diepvrieskip!'

'O nee? Nou, da's maar goed ook, want hij gaat echt niet op je zitten wachten, hoor. De helft van de school is verliefd op hem en die meiden hebben niet allemaal last van een knellende kuisheidsgordel!'

Ik voel me echt heel erg gekwetst. Het is ook helemaal niets voor Ali om zo tegen me tekeer te gaan.

'Zo is hij niet.'

'Zo zijn ze allemaal!'

Ik probeer het uit te leggen.

'Nee, Ali. We zijn echt dol op elkaar. Ik bedoel, het gaat niet om seks. Ik ben wel verliefd op hem, maar ik vind hem ook echt aardig en hij voelt hetzelfde voor mij. We hebben geen haast...'

Ze draait zich om. Ik denk dat ze niet eens luistert, dus besluit ik mijn mond te houden. Dan bekijkt ze het maar. Wie denkt ze eigenlijk dat ze is? Maar dan zie ik haar gezicht in de spiegel. Ze probeert haar tranen binnen te houden.

'Ali?'

Ze draait zich weer om en stort zich in mijn armen.

'Het spijt me! Ik ben ook zo vreselijk. Ik wilde niet zo tegen je tekeergaan. Ik denk dat ik gewoon jaloers ben. Jij en Muggs hebben het zo leuk samen. Let maar niet op mij.'

Ik kan onmogelijk lang boos blijven op Ali. Ik sla mijn armen om haar heen.

'Misschien krijgen jij en Sean het ook wel zo leuk samen. Als je maar niet te hard van stapel loopt. O nee. Nu klink ik ook al als mijn moeder!'

Als we uitgelachen zijn kijkt Ali me ernstig aan. 'Ik vind het echt erg van je moeder, hoor.'

'Dat weet ik. Maak je maar geen zorgen. Het komt wel goed met haar.'

Was ik daar echt maar zo zeker van... Snel verander ik van onderwerp.

'Ik denk dat je Muggs vanavond ook wel zult zien in de Star

Bar. Hij heeft daar een nieuw baantje als glazenophaler. Dus ik zou me maar gedragen als ik jou was, want ik krijg het allemaal te horen.'

'Ik dacht het niet,' zegt ze met een brede grijns. 'Vanavond ga ik de beest uithangen.'

'Veel plezier.' Ik wou dat ik ook uitging.

Maar nee. Ik ga naar ons lege huis terug. Alweer. Het is er zo stil. Ik heb me eigenlijk nooit gerealiseerd dat mama zo veel geluid maakte, dat ze zo veel plaats innam. Ik stuur Muggs een sms'je. Hij sms't meteen terug om te zeggen dat hij na zijn werk even langskomt. Oeps. Als papa dat maar goedvindt.

Ik heb nog een heel lange avond voor de boeg. Hoe laat zou papa thuiskomen? Zal ik hem anders eens verwennen? Zal ik voor hem koken? Ja! Niet helemaal mijn stijl, maar ja.

Binnen een oogwenk verander ik in mijn moeder. Ik plunder de kasten en graaf wat eetbaar spul uit. Tonijn, pasta, saus uit een fles, verse paprika's, uien en champignons. Hoeveel er van wat in moet weet ik niet, dus ik gebruik gewoon van alles veel. Ik zet alvast bier en witte wijn in de koelkast en daarna maak ik een salade klaar. In de diepvries ligt nog knoflookbrood. Dat stop ik in de oven.

Terwijl de saus staat te prut-telen dek ik de tafel met een wit tafellaken en het mooiste bestek. Niemand kan zeggen dat de tent erop achteruitgaat nu mama er niet is. In de tuin pluk ik wat bloemen en die zet ik in een vaas op tafel. Dit is echt leuk!

Als de pasta op het vuur staat kijk ik even of er e-mail is. Niks van Carly. Ik vind het toch zo'n vreemd idee dat zij van niets weet. Ik wou dat ik in Byron Bay in de zon lag te rollebollen. Zoals Scar tegen Simba zegt in de beste film aller tijden, *De Leeuwenkoning*: het leven is niet eerlijk.

De geur van verbrande toast dringt mijn neus binnen. Verstrooid bekijk ik de verkoolde resten van het knoflookbrood. Ik gooi het in de prullenbak en zet het vuur onder de pasta uit. Die kleeft aan de pan vast. De saus ziet er ook een beetje droog uit. Waar blijft papa dan ook?

Precies op dat moment gaat de telefoon.

'Ik ga direct door naar het ziekenhuis,' zegt papa. 'Daarna kom ik naar huis.'

'En het avondeten dan?' vraag ik. 'Ik dacht dat we...'

'Haal zelf maar iets, Jess. Ga maar naar McDonald's of zo. Ik heb al gegeten. Blijf maar niet op, hoor. Ik kom toch pas laat thuis.'

'Doe haar de groetjes,' zeg ik treurig.

Er komt rook van de saus af. Ik gooi de pasta in een schaal en schraap de verbrande saus uit de pan. Er zitten zwarte stukjes in. Dan besluit ik om het allemaal maar in de vuilnisbak te gooien.

Ik ben zo woedend op papa; ik voel me net een afgewezen geliefde. En ook een beetje een verwend nest. Mijn hele leven lang bemoeien mijn ouders zich overal mee en nu word ik ineens, zonder aankondiging, aan mijn lot overgelaten.

Ik pak een biertje uit de koelkast. Niet heel volwassen en eigenlijk is het voor papa, maar het kan me niet schelen. Ik neem een slok. Smerig, zeg! Toch drink ik het blikje, met mijn ogen dicht, in een teug leeg. Het is hartstikke goor, maar ik krijg er wel een lekker warm gevoel van in mijn buik. Als ik het op heb twijfel ik of ik er nog een zal nemen. Maar het is zo vies dat ik het toch maar niet doe.

De eenzame zaterdag is nog lang. Ik vind er niets aan. Door al dat bier barst ik nu van het zelfmedelijden. Ik moet met iemand praten. Was Carly hier maar... Ik ga weer achter de computer zitten en schrijf Carly een mailtje.

Laat snel iets van je horen. Er is iets wat je moet weten.

Na het mailtje voel ik me nog net zo beroerd als ervoor. Ik kan niet stilzitten van de zenuwen, maar wat moet ik doen? Ik loop naar boven om *Macbeth* van de vloer van mijn slaapkamer te plukken. Hoe heeft Lady M het in vredesnaam al die tijd uitgehouden, in haar eentje in dat kasteel? Geen wonder dat ze gek werd.

Ik neem haar eerste scène door, waarin ze de brief van Macbeth leest en wacht tot hij terugkomt. Ik lijk haar eenentwintigste-eeuwse zielsverwant wel: ik lees de sms'jes van mijn vriend en wacht ook tot hij komt. In al die eeuwen verandert er eigenlijk toch maar weinig.

Dan besluit ik om mijn tekst te gaan leren. In mijn hoofd herhaal ik de zinnen keer op keer. Daarna ga ik voor de spiegel staan om ze nog eens te oefenen.

'*Kom nu maar, Geesten,*
Die moordgedachten steunen, ontvrouw mij hier,
En vul me, van de kruin tot de teen, top vol,
Met grimmige wreedheid.'

'Ontvrouw me.' Magische woorden zijn dat. Ik ga verder met de tekst. Het is een makkie.

'Kom aan mijn borsten,
Besmet mijn melk met gal.'

Daar zijn borsten voor. Niet alleen maar om in een trui te hangen. Ik trek mijn T-shirt en mijn beha uit en kijk naar mijn borsten. Terwijl ik zo in de spiegel staar gaan de woorden van Lady Macbeth een eigen leven leiden.

Plotseling hoor ik de deurbel. Ik doe het nieuwe truitje aan dat mama voor me gekocht heeft en loop naar beneden.

Het is Muggs. Hij heeft de hele weg gerend en is helemaal buiten adem. Hij heeft een paar Bacardi Breezers bij zich. Wat ziet hij er lekker uit.

'Ik dacht dat ik je misschien kon opvrolijken,' zegt hij grijnzend.

'Wat ben je vroeg!'

'Als een dame in nood roept, dan kom ik haar redden. Darren heeft mijn uren overgenomen. Hij kan het geld wel gebruiken.'

Muggs heeft dat geld ook nodig. Hij heeft het alleen voor mij gedaan.

We drinken de Breezers gewoon uit de fles. Ze smaken helemaal niet naar alcohol, zoals het bier, maar ik krijg weer dat warme gevoel in mijn buik.

'Kom, dan gaan we in de woonkamer zitten,' zeg ik. We gaan in het donker op de bank liggen, met een Breezertje erbij.

'Heb je Ali nog in de Star Bar gezien?'

Muggs moet lachen. 'Ja. Ze zat de hele avond vastgekleefd aan Sean. Die kon zijn geluk niet op.'

'Vind je haar leuk?' vraag ik nieuwsgierig.

'Ik vind jou leuk,' zegt hij en hij geeft me een kus.

Ik voel me in de zevende hemel. Of nee, ik voel me net op een tropisch eiland, op het strand, onder de palmbomen. Muggs en ik, in elkaars armen op een strandlaken. De zon verdwijnt langzaam in de schitterend blauwe zee. In de verste verte is er niemand te bekennen. Mijn huid voelt warm aan en ruikt helemaal naar zee en zonnebrandolie. Zijn lippen smaken zout. De golven kietelen onze tenen. Maar dan wordt het vloed en worden we bedolven onder het koude water. Of liever: het licht gaat aan en mijn vader komt binnen. Muggs en ik vliegen uit elkaar. De blik in zijn ogen zal ik nooit vergeten. Hij is zo geschrokken dat hij er helemaal verwilderd uitziet, met zijn mond en zijn ogen wijd open. 'Ha-hallo, meneer Bayliss,' stamelt Muggs. 'Het spijt me, meneer.' Als het niet zo vreselijk pijnlijk was, zou je erom moeten lachen. Tot mijn verbazing hoor ik iemand giechelen. Ikzelf, merk ik dan. 'Ga weg, David,' zegt papa. Hij haalt zijn handen door zijn haar en draait zich om. 'Ik ga in bad. Als ik beneden kom wil ik dat je weg bent.' In de deuropening draait hij zich nog even om. 'Hoe kon je, Jess? Uitgerekend nu. Wat zal je moeder wel niet denken?' Ik weet niet wat ze zal denken, maar ik denk dat ik daar snel genoeg achter kom.

De volgende ochtend blijf ik in bed liggen. Mijn hoofd bonkt en ik heb een droge mond. Zou dit nou een kater zijn? De telefoon gaat. Papa neemt op. Ik hoop maar dat het Muggs niet is. Het zal mama wel zijn, want even later hoor ik papa de deur uit gaan. Een tijdje daarna hoor ik de stem van mijn moeder. 'Jess! Waar zit je?' roept ze.

Ik vlieg de trap af en sla mijn armen om haar heen. Ze ziet er

precies zo uit als anders. Een beetje wit, maar verder prima.
'Wat is het toch fijn om thuis te zijn,' zegt ze. 'Zo. Wat heb
ik allemaal gemist?'
Ik kijk naar papa, maar die zit met de video te rommelen.
'Niks, eigenlijk,' zegt hij. 'We hebben niet zoveel uitge-
voerd, hè Jess? Ik heb die ziekenhuisserie voor je opge-
nomen.'
Ik slaak een zucht van verlichting. Papa heeft blijkbaar besloten om niets tegen mama te zeggen. De schat.
'Wat ben je toch een lieverd,' zegt mama, als ze met een
zucht op de bank neerploft. Ik ga snel naast haar zitten. 'Ik
heb voorlopig wel even genoeg van het ziekenhuis, hoor.' Ze
slaat haar arm om me heen. 'Wat heb je allemaal gedaan? Je
ziet een beetje pips. Heb je het gisteravond laat gemaakt?'
'Nee hoor,' zeg ik snel. 'Wil je thee, mam?'
Gauw sta ik op om naar de keuken te gaan. Papa knipoogt
even naar me. Dit is nu al het tweede geheimpje dat we samen delen. Ik voel me er helemaal niet lekker bij.
De telefoon staat vandaag niet stil. Iedereen weet inmiddels
waarom mama niet op haar werk was en nu bellen alle collega's om te vragen hoe het met haar gaat. Ze vindt al die
aandacht heerlijk en ze legt aan iedereen die het horen wil
precies uit hoe de operatie is verlopen. Er komen ook wat
mensen langs, met bloemen en cadeautjes. Het begint hier
een beetje op een rouwkamer te lijken. Rond etenstijd komt
ook mevrouw Shepherd langs. Ze is de directrice van mijn
school. Papa's baas, dus. Ze heeft een enorm boeket bij
zich.
'Neem maar zo lang vrij als je nodig hebt, Rob,' zegt ze
tegen papa. 'Zorg maar lekker voor Diane.'

'Dat is nergens voor nodig,' zegt mama. 'Met mij gaat het prima. Ik wil zelf ook zo snel mogelijk weer aan het werk. Over vier weken komt de schoolinspectie.'

'Nee, ik ga morgen gewoon naar school,' zegt ook papa. 'Ik moet het nieuwe rooster afmaken.'

'Ja, mam, weet je wat hij gisteren heeft gedaan? Hij is naar school geweest om te werken, terwijl er voetbal op tv was!' zeg ik.

'O ja?' vraagt mevrouw Shepherd verbaasd. 'Ik ben gisteren ook de hele dag op school geweest, maar ik heb je niet gezien.'

'O, ik heb me verstopt gehouden,' zegt papa schaapachtig. Dan gaat de bel weer. Hij staat snel op om open te doen. In de gang horen we hem met iemand praten. Het is mevrouw Taylor, die een wolk van parfum en een grote bos bloemen mee naar binnen neemt.

'Hallo, Jess. O, hallo, mevrouw Shepherd. Hoi, Diane, hoe gaat het?' Ze geeft mama een kus op haar wang en laat zich lachend naast haar op de bank ploffen, met bloemen en al. Ze ziet er vrolijk en bruisend uit. Een hele tegenstelling met mijn moeder, die nog moeier en bleker lijkt.

Ik neem de bloemen aan en verdwijn de keuken in om koffie te zetten. We hebben geen vazen meer dus pluk ik maar een paar glazen potjes uit de glazenbak. Daarna maak ik het pak chocoladekoekjes open dat mevrouw Taylor heeft meegebracht en leg de koekjes op een schaaltje.

Als ik de woonkamer weer binnen kom, gewapend met koffie, hoor ik mama tot in detail vertellen over de operatie en over wanneer ze terug moet voor de uitslag. Papa kijkt naar hen en mevrouw Shepherd kijkt op haar beurt naar hem.

Het is een vreemd schouwspel, zoals je ze eigenlijk alleen in dramaseries ziet. Heel raar.

Muggs belt me op mijn mobiel, omdat de vaste lijn de hele tijd in gesprek is. Ik weet niet wat ik tegen hem moet zeggen, dus vertel ik maar dat ik tot koffiejuf gebombardeerd ben en moet ophangen. Dat is tenslotte ook een beetje zo. Het is al laat als al het bezoek weg is en de telefoon eindelijk niet meer rinkelt. Mama zegt dat ze doodop is en naar bed gaat. Aangezien ik geen zin heb in een gesprek met mijn vader ga ik ook meteen maar naar boven.

Terwijl mama haar koffer uitpakt, zit ik op het bed toe te kijken. Als ze zich uitkleedt en haar pyjama aandoet, zie ik het verband op haar rechterborst en haar oksel.

'Doet het zeer?'

'Niet echt. Het is meer vervelend.'

'Ik ben blij dat je weer thuis bent.'

'Ik ook,' zegt ze met een glimlach.

'Het was maar vreemd hier, zonder jou.'

'Welnee. Je vader heeft je vast heel erg verwend.'

'Zo vaak heb ik hem anders niet gezien.'

'O nee?' Verbaasd kijkt ze me aan. Op dat moment komt papa de slaapkamer binnen, dus verdwijn ik maar naar mijn eigen kamer.

In bed denk ik terug aan wat er gisteravond allemaal is gebeurd. Ik krijg het er warm van. Wat een pijnlijke toestand! Ik ben benieuwd wat Muggs morgen te zeggen heeft. Misschien moet mama er gewoon bij zijn om alles in goede banen te leiden, denk ik dan. Nou ja. Vanaf nu wordt alles weer normaal. Daarna val ik in slaap.

Dat was valse hoop, blijkt als ik midden in de nacht wakker

word van een vreemd geluid. Het komt uit de slaapkamer van mijn ouders. Het lijkt wel of mama ligt te huilen. Als ik op de deur klop is het opeens stil.

'Mam? Gaat het wel met je?'

'Ja hoor. Ga maar weer naar bed, Jess.'

'Waarom huil je dan?'

'Ik heb gewoon een beetje eng gedroomd. Het gaat wel weer. Ga nou maar naar bed.'

's Ochtends ben ik het al bijna weer vergeten. Totdat ik papa in zijn pyjama uit Carly's slaapkamer zie komen. Het bed ziet er verkreukeld uit. Hij heeft hier geslapen.

Bij het ontbijt lijkt er niets aan de hand te zijn. Papa brengt mama een kopje thee op bed. Hij vraagt of ik met hem mee wil rijden naar school. Nee dus.

Eerlijk gezegd ben ik helemaal van de kook door vannacht. Het klinkt misschien niet zo heel erg, maar mama en papa hebben nog nooit gescheiden geslapen. Vroeger vond ik dat altijd zo zielig voor ze. Carly en ik hadden allebei een eigen bed, terwijl zij er een moesten delen. Maar ik probeerde altijd wel een smoes te verzinnen om in hun bed te kunnen slapen. Nachtmerries, buikpijn, oorpijn, noem maar op. Het leukste was altijd met Kerstmis. Dan kropen we met z'n allen in bed om cadeautjes open te maken. Ook de cadeautjes van papa. Dat liet hij ons doen. Met verjaardagen was het precies hetzelfde. Dat bed is het middelpunt van ons huis.

Ik ben zo van streek dat ik het direct aan Ali vertel als we samen naar school lopen. Ik wou dat ik dat niet had gedaan. 'Ik kan het me best voorstellen, hoor,' zegt ze, terwijl ze wijs knikt.

'Hoe bedoel je?'

'Nou ja, hij zal nu wel anders over haar denken. Toch? Ik bedoel, ze heeft een heel grote operatie aan haar borsten gehad. En waarschijnlijk is ze nu, nou ja, je weet wel...'

'Nee, ik weet niet. Wat bedoel je nou?'

'Nou ja... mismaakt. Misschien vindt hij haar nu helemaal niet aantrekkelijk meer.'

'Ach, doe niet zo gek. Je hebt het over mijn vader, hoor. Die is niet zo oppervlakkig.'

'Hij is toch een vent? Ik vind het maar zielig voor hem. Het zal wel heel moeilijk voor hem zijn.'

'En mijn moeder dan? Is het voor haar niet zielig?' Typisch iets voor Ali om medelijden met mijn vader te hebben. Ik wou dat ik niks had gezegd. Vooral niet als Ali meteen naar Muggs loopt om te vertellen dat ik overstuur ben en waaróm ik overstuur ben. Na zaterdagavond loopt het sowieso al stroef tussen ons.

Als hij in de pauze naar mijn lokaal toe komt, is hij tot mijn verbazing heel lief en begripvol. Hij slaat zijn armen om me heen.

'Doe niet zo gek, Jess. Er is heus niets mis tussen je ouders. Ik denk dat hij in de logeerkamer heeft geslapen omdat hij bang was dat hij in zijn slaap over je moeder heen zou walsen en haar pijn zou doen. Toen mijn oma geopereerd was aan haar spataderen heeft ze mijn opa ook wekenlang naar de logeerkamer verbannen. Maar hij was dan ook een oude geile bok.'

Giechelend ga ik dicht tegen hem aan zitten.

'Ik trouwens ook, hoor,' fluistert hij dan in mijn oor. 'Heeft je vader me eigenlijk al vergeven?'

Ik haal mijn schouders op. 'Weet ik niet. Ik denk dat hij wel iets anders heeft om zich druk over te maken.'

'De volgende keer moeten we maar een rustiger plek opzoeken.'

Verstoord kijk ik voor me uit. Hij gaat er dus van uit dat er een volgende keer zal zijn. Maar dan geeft hij me een zoen en hoop ik ook dat die volgende keer er komt.

Het duurt niet lang voordat de repetities in volle gang zijn. Mevrouw Taylor vindt dat Muggs en ik het toneelstuk moeten dragen en daarom komen we elke avond bij elkaar.

'Jullie zijn de drijvende motor achter het stuk,' zegt ze. 'Als jullie het verpesten, brengen jullie het hele stuk om zeep.'

'Fijn dat er geen druk op ons staat,' zegt Muggs lacherig. Vandaag hebben we het over de samenleving in de elfde eeuw en over de positie van de vrouw. Zo maakt mevrouw Taylor ons duidelijk in welke omstandigheden onze personages leven.

'Hoe overtuigt Lady M haar man ervan om Duncan te vermoorden, Jess?'

'Ik denk dat ze hem verleidt,' antwoord ik langzaam. 'Ze is nogal een flirt.'

'Juist. Ze gebruikt de macht van de vrouw – seksuele verleiding. Noem het wat je wilt, liefde of lust, maar voor haar doet hij alles.'

'Vrouwen!' roept mijn vader, die plotseling achter ons staat. 'Die zijn allemaal hetzelfde.'

Blijkbaar vindt hij zichzelf erg grappig, maar mevrouw Taylor kijkt geërgerd en Muggs weet niet hoe hij moet kijken.

Macbeth en zijn lady hebben in het begin van het stuk een heftig samenzijn, wat dus wil zeggen dat ik voor de ogen van mijn vader Muggs moet verleiden. Dat is onder normale omstandigheden al geen pretje, maar helemaal niet als je pa een liveversie van het stuk heeft gezien.

Eerlijk is eerlijk, papa heeft er helemaal geen erg in. Hij

heeft een hele horde kinderen onder zijn hoede die voor het geluid en het licht moeten zorgen. De enige die het gênant vindt, ben ik. Maar al snel zit ik zo in mijn rol dat ik vergeet dat ik Jessica Bayliss uit de tweede klas ben. Ik ben Lady Macbeth, een elfde-eeuwse, Schotse femme fatale.

Het gaat goed, maar dat is ook niet zo raar. Ik bén Lady Macbeth. Ik eet als Lady Macbeth, ik slaap als Lady Macbeth en ik adem als Lady Macbeth. Nu mama niet naar haar werk gaat verdiept ze zich helemaal in mij. Ze wil precies weten hoe het gaat met het stuk. Ze helpt me met mijn tekst en geeft me goede tips.

Als ik op woensdagavond uit school kom lijkt het thuis wel een begraafplaats.

Dan pas herinner ik me dat papa tussen de middag naar huis is gegaan om met mijn moeder naar het gezondheidscentrum te gaan. Ik was helemaal vergeten dat ze vandaag de uitslag van het onderzoek krijgt. Zou ze net zo zenuwachtig zijn als ik, wanneer ik op de uitslag van een proefwerk wacht?

Hoe lang duurt het trouwens, zo'n gesprek waarin je te horen krijgt dat de operatie geslaagd is? Tot mijn verbazing zie ik dat het al zeven uur is. En dan komen mama en papa binnen. Ik zie meteen dat ze geen goed nieuws hebben gekregen.

'Wat is er?'

Mama geeft geen antwoord. Ze gaat zitten, met haar hoofd in haar handen.

'Mam?' vraag ik bang. Waarom zegt er niemand iets?

'Ik moet weer terug.'

'Waarom?'

Weer geeft mama geen antwoord. Ze ziet er vreselijk uit. Papa ook.

'Moeten ze je borst amputeren?'

Mama kijkt op. Dan ziet ze me kijken.

'Nee! Het komt wel goed, Jess. Kom eens hier.'

Ze steekt haar armen naar me uit en ik laat me opgelucht tegen haar aan zakken.

'Godzijdank. Ik was zo bezorgd!'

Ik had niet eens door hóé bezorgd ik was. Tot nu. Maar dan bedenk ik me iets.

'Waarom moet je dan terug?'

Mama gaat verzitten zodat ze me kan aankijken. Ze ziet er ernstig uit.

'Het is uitgezaaid, Jess. Het zit ook in de lymfeklieren. Die moeten ze nu ook weghalen.'

'Dat hadden ze toch al gedaan?'

'Nee, ze hebben proefjes genomen. De klieren zitten er nog in. Nu ze weten dat daar ook kanker zit, moeten ze die eruit halen.'

'En daarna is het allemaal goed?'

'Niet helemaal.' Mama kijkt erg ongemakkelijk. 'Waarschijnlijk krijg ik ook chemotherapie. En moet ik bestraald worden. Om er zeker van te zijn dat alles weg is.'

'Chemotherapie? Maar raak je dan niet...'

Mijn stem sterft weg.

'Je haar kwijt? Ja. Maar misschien niet allemaal, hoor. Het kan best zijn dat het alleen dunner wordt. Tegenwoordig zijn ze zo ver met die therapie.'

Ik kijk naar mama's haar. Het is een mooie, volle, donkere bos. Het glanst mooi. Ze heeft hetzelfde haar als ik. Ze gaat minstens een keer per maand naar de kapper. Dan laat ze *highlights* zetten om de paar grijze haren te verdoezelen. Het zit altijd perfect. Haar haren en haar borsten, dat is het mooiste aan haar. Ik barst in tranen uit.

'Kom op, Jess,' zegt mijn vader, met een stem alsof hij wil zeggen dat ik me niet zo moet aanstellen. 'Het is maar chemotherapie, hoor. Het is voorbij voor je er erg in hebt en dan is je moeder weer helemaal de oude.'

'Het is máár chemotherapie?' herhaalt mijn moeder. Ze kijkt papa aan alsof ze hem wel voor zijn kop kan slaan. 'Het is gewoon niet eerlijk!' jammer ik. Ik voel me net een kleuter.

'Nee, daar heb je gelijk in,' zegt mama. 'Het is verdikkeme hartstikke oneerlijk.'

Arme mama. Haar hele leven eet ze al gezond en doet ze aan sport en zorgt ze ervoor dat wij dat ook doen. En moet je nou zien.

'Waarom nou juist jij?'

'Dat weet ik niet. Niemand weet het. Waarschijnlijk is het gewoon een afwijkend gen, of zo.'

Geschokt kijk ik haar aan. Op school heb ik wel iets over genetica geleerd. Als mama inderdaad een afwijkend gen heeft, dan betekent dat dat ik het ook heb. En Carly. Papa ziet mijn gezicht betrekken en komt direct tussenbeide.

'Zoiets zal het wel niet zijn. Als het echt zo simpel was zouden ze er wel iets aan kunnen doen. Zulke dingen gebeuren nu eenmaal, Jess. Je kunt niet alles in de hand hebben. Zo is het leven.'

Was dat als troost bedoeld? Mama kijkt net zo geschokt als ik.

Papa besluit tot actie over te gaan en verdwijnt de keuken in om het eten klaar te maken. Mam gaat een dutje doen en ik pak *Macbeth* weer op. Ik ben er niet bij vandaag. Het lijkt wel alsof mijn hele leven aan puin is sinds ik de rol van Lady Macbeth heb gekregen. Lady M en ik hebben veel gemeen. Misschien zijn we allebei wel vervloekt door kwade geesten. Ik moet met iemand praten.

Daarom bel ik Ali, maar dat had ik beter niet kunnen doen. Ze reageert verschrikkelijk dramatisch als ik haar vertel dat mama weer naar het ziekenhuis moet.

'Weet je zeker dat haar borst niet hoeft te worden afgezet?' vraagt ze steeds maar weer.

Ze gebruikt steeds het woord 'mastectomie', alsof ze er dagelijks mee te maken heeft. En ze spreekt het de hele tijd verkeerd uit.

'Een borstamputatie is namelijk veel veiliger, hoor.'

'Sinds wanneer weet jij zoveel over borstkanker?' vraag ik kortaf. Dat gedoe van haar begint me een beetje op mijn zenuwen te werken.

Het lijkt wel of ze er op een vreemde manier van geniet. Alsof ze voor het eerst in haar leven beter is dan ik. Haar moeder heeft dan misschien het ene vriendje na het andere en ze vergeet misschien iedere ouderavond, maar ze heeft in ieder geval geen kanker. Ali leeft echt met me mee en ze is echt bezorgd, maar ik word er knettergek van.

Ik hang op. De telefoon begint meteen weer te rinkelen. Dit keer is het Muggs. Van hem word ik weer op een heel andere manier zenuwachtig als ik hem het nieuws vertel. Volgens mij hebben mannen een standaard manier om te reageren op dit soort 'vrouwenkwalen'. Hij reageert namelijk precies als mijn vader. 'Het komt wel weer goed', is de boodschap. 'Die medicijnen tegen kanker werken tegenwoordig zo goed,' zegt hij. 'De bijwerkingen zijn ook allemaal een stuk minder dan een paar jaar geleden. Het stelt allemaal niet zoveel meer voor.'

O nee? Dat moet je mijn moeder maar eens vertellen. Stomme kerels. Snappen ze dan echt niet hoe erg dit is?

Ik ben weer op internet geweest. Als de lymfeklieren eenmaal aangetast zijn, dan is het goed mis. Ali heeft dus eigenlijk gelijk: als de kanker zich had verspreid in haar borst hadden ze die afgezet en dan was het waarschijnlijk over geweest. In plaats daarvan hebben de kankercellen zich vrolijk in de lymfeklieren verspreid, ook al is de tumor zelf nu weg. Daarom moet mijn moeder nu chemotherapie.

Shit.

Ik kijk of er mail is. Carly heeft gereageerd op mijn laatste mailtje.

Wat is er loos? Ben je zwanger? Of, erger nog, is mama zwanger?

Ik wou dat het waar was. Dat dat alles was om me druk over te maken. Ik schrijf snel terug.

Mama heeft kanker. Volgende week wordt ze voor de tweede keer geopereerd en daarna krijgt ze chemotherapie. Ik wou dat je thuis was.

Kinderachtig van me. Wat verwacht ik nu helemaal van Carly? Dat ze me als troost een kusje komt geven, zoals ze

dat vroeger wel eens deed als ik mijn knie had openge-
haald? Mama heeft gelijk. Ik moet haar hier niet mee lastigvallen.

Toch klik ik op 'versturen'.

Ik heb bonje met mama. Goed geraden: vanwege mijn mailtje naar Carly. Carly heeft huilend met haar aan de telefoon gehangen. Nu wil ze naar huis komen om bij mama te kunnen zijn. 'Waarom heb je het haar nu verteld, Jess? Ik had nog zo gezegd dat je dat niet moest doen.'
Mama is haar tas weer aan het pakken om naar het ziekenhuis te gaan. Dit keer moet ze een week blijven. Boos worden op mij geeft haar een beetje afleiding.
'Ze kan veel beter in Australië blijven. Als ze dat niet doet krijgt ze er later spijt van.'
Ze stopt een nieuwe beha in haar tas. Het is zo'n oude-oma-geval. Als ze mijn gezicht ziet schiet ze meteen in de verdediging.
'Ik wil geen beugelbeha meer. Die schijnen kanker te kunnen veroorzaken. Dat heb ik ergens gelezen. Jij moet ze ook niet dragen.'
'Die gevallen van jou trek ik echt niet aan, hoor,' zeg ik vol afschuw. Mama heeft ook een stel van die heel tuttige nachtponnen gekocht. Van die dingen met knoopjes aan de voorkant.
'Dat is handig met al die drains,' legt ze uit. Arm mens. En ze was altijd zo hip. Door die kanker is ze opeens oud.

'Bovendien kan Carly toch niets doen als ze hier is,' gaat mama verder, terwijl ze toiletspullen in haar tas stopt. 'Zonder aluminium,' zegt ze dan en ze houdt een busje deo voor mijn neus. Het stinkt verschrikkelijk. 'Er schijnt verband te zijn tussen aluminium en borstkanker. Wist je dat zestig procent van de borsttumoren aan de bovenkant van de linkerborst zitten?'

Ik kijk haar nietszeggend aan. Waar heeft ze het over?

'Je gebruikt je rechterhand om deo onder je linkeroksel te spuiten, maar omdat je rechts sterker bent, komt er links meer aluminium vrij dan rechts.'

'Maar bij jou zat die tumor in je rechterborst. Aan de onderkant,' zeg ik. Ze luistert niet.

'Voor de veiligheid moet je een deo gebruiken waar geen aluminium in zit,' houdt ze vol. 'Er is trouwens ook een verband tussen voedsel en borstkanker. Wist je dat borstkanker in Japan veel minder vaak voorkomt?'

Toevallig wist ik dat wel, van internet. Maar dat ga ik natuurlijk niet aan mijn moeder vertellen. Dan kan ik de rest van mijn leven sushi eten.

'Als ik in het ziekenhuis lig ga ik er van alles over lezen. Er gaat hier een heleboel veranderen, Jess.'

Ze gooit een stapel boeken over kanker boven op de kleren in haar tas. Dan ritst ze hem dicht. Mijn hart zinkt in mijn schoenen. Wij eten al gezonder dan wie dan ook.

'Fijn. Dus nu kan ik mijn beha verbranden, deo spuiten die stinkt en rauwe vis eten. Dan heb ik liever kanker!'

Mama kijkt me geschokt aan. Ik wou dat ik mijn mond had gehouden. Zo bedoel ik het natuurlijk niet.

'Sorry, mam. Dat was wel heel grof.'

Het probleem met mama is dat ze nu per se zoveel mogelijk over kanker te weten wil komen. En over de genezing van kanker. Ik moet haar zelfs bij de computer wegslepen om ook eens op internet te kunnen, want ze struint alle sites af die ze kan vinden. Inmiddels zit ze ook al bij de plaatselijke vereniging voor borstkankerpatiënten. En ze heeft haar tweede operatie nog niet eens achter de rug! Voor je het weet staat ze bij de supermarkt te collecteren. Dan ga ik echt dood, hoor!

Ze staart me aan. Dan steekt ze haar hand uit om mijn haar achter mijn oor te strijken.

'Gaat het wel met je, Jess?'

Eigenlijk wil ik zeggen dat het helemáál niet gaat. Dat ik niet wil dat ze naar het ziekenhuis gaat. Dat ik wil dat ze thuisblijft en voor me zorgt. Daar is ze toch voor! Maar ze kijkt zo bezorgd dat ik net doe of er niets aan de hand is.

'Ja hoor. Maar kanker is zo... saai, hè?'

Dat wilde ik eigenlijk helemaal niet zeggen. Even kijkt ze me gekwetst aan. Dan begint ze opeens te lachen.

'Daar heb je helemaal gelijk in. Saai. Dat is het. Je vader en jij redden het wel, hè? En als Carly belt dan moet je maar zeggen dat ze moet blijven waar ze is en dat ze lol moet maken. Het heeft echt geen zin om naar huis te komen.'

'Ben je klaar, Di?'

Papa heeft weer een dag vrij genomen om haar naar het St John's te brengen. Dat betekent dat we die nerd van een natuurkundeleraar als invaller krijgen, die vent die geen idee heeft hoe hij de klas onder controle moet krijgen. De vorige keer dat we hem hadden, hebben we hem toch zo voor gek

73

gezet! Iedere keer dat hij zich naar het bord toe draaide, schoven wij onze tafels een paar centimeter naar voren. Aan het eind van de les hadden we hem in de hoek gedreven en kon hij er niet meer uit. We hebben ons kapot gelachen. Hoewel ik moet toegeven dat dit soort gedrag onze cijfers niet ten goede komt.

Mama slaat haar armen even om me heen. Daarna pakt ze haar tas.

'Gedraag je, hè!' zegt ze. Geen idee waarom. Heeft papa dan toch iets tegen haar gezegd?

'Ik zie je morgen wel. Succes!'

Wat is dat nou weer voor iets stoms om te zeggen? Maar wat moet je dan zeggen tegen iemand die voor de tweede keer in zo'n korte tijd een operatie voor kanker moet ondergaan? Mama glimlacht even scheef naar me. Dan is ze weg.

Ik blijf alleen achter. Eenzaam en ellendig. Ik wou dat alles weer normaal was. De telefoon gaat. Het is oma.

We zien oma niet vaak. Mama is het nooit met haar eens. Tenminste, zo zegt zij het. Je zou niet denken dat die twee familie van elkaar zijn. Mama is altijd zo netjes en georganiseerd. Oma is heel anders.

Ze woont nog steeds in Londen, waar mama is opgegroeid. Meestal komt ze twee keer per jaar bij ons. Ik vind haar geweldig, maar mama is altijd helemaal gespannen als ze er is. Dan is het altijd een hele opluchting als oma weer weg is. Eén ding hebben ze wel met elkaar gemeen: gezond verstand.

'Is je moeder thuis, Jess?'

'Nee. Die is...'

'Op school. Mooi zo. Dat dacht ik al. Waarom ben jij eigenlijk niet op school?'

'Ik wou net weggaan, oma.' Doet ze dat soms iedere dag? Wachten tot iedereen van huis is om dan te gaan bellen?

'Ik wilde het even over je moeder hebben. Wat is er aan de hand, Jess?'

'Hoe bedoelt u?'

'Ze heeft al twee weken niet gebeld. Mijn dochter belt dan misschien niet erg vaak, maar ze belt wel erg regelmatig. Iedere zondag, voordat ze gaat badmintonnen.'

Ik grinnik even. Oma kent haar dochter goed. Mama noemt het altijd het verplichte belletje.

'Bovendien is ze iedere keer toevallig "weg" als ik bel. Is er soms iets aan de hand?'

Nee hoor, hoe komt u erbij. Uw enige dochter heeft kanker, verder niet. Ik sta met mijn mond vol tanden. Ik heb al op mijn donder gehad omdat ik het Carly heb verteld. Als ik het nu ook nog tegen oma zeg wordt mama helemaal woedend.

Het begint tot me door te dringen dat dit probleem niet weggaat, of je er nu over praat of juist niet. Mama weet vrijwel zeker dat ze chemotherapie krijgt na de operatie en oma komt in de zomer altijd hiernaartoe. Mijn besluit is genomen.

'Er is inderdaad iets aan de hand, oma, maar ik vind dat mama dat moet vertellen, of anders papa.'

Even blijft het stil. Als oma weer iets zegt versta ik haar nauwelijks. Dat is niets voor haar, zo'n klein, oud stemmetje.

'Zijn ze uit elkaar, Jess? Nee toch? Na al die tijd?'

75

'Nee!' roep ik geschrokken. 'Natuurlijk niet. Wat denkt u nou?'

De gedachte dat mijn ouders uit elkaar zouden gaan is voor mij even onwerkelijk als wanneer Ali natuurkunde zou gaan studeren. Ik lach hardop.

Dat stelt oma gerust. 'Stom van mij, hè? Vergeet maar dat ik dat heb gevraagd, kind.' Ze is zo opgelucht dat ze helemaal vergeet te vragen wat er dan wel aan de hand is.

'Oma, ik moet nu echt ophangen, anders kom ik te laat op school. Ik zal mama wel terug laten bellen.'

Ik ben te laat, maar niemand zegt er iets van. De conrector zet mijn naam niet op de lijst en als ik tijdens de Engelse les het lokaal binnen loop, lacht mevrouw Taylor naar me. 'Ga maar zitten, Jess. Ik ben blij dat je er bent. We waren net bij jouw gedeelte aangekomen. Ali wilde het gaan proberen, maar nu je er toch bent...'

Ali kijkt een beetje sip, maar de anderen zijn blij. Ze was vast de draad kwijtgeraakt en er is niets zo vervelend als iemand die een tekst van Shakespeare verkracht. Opeens bedenk ik dat ik werkelijk overal mee wegkom nu mijn moeder kanker heeft. Ik kan het maken om te laat te komen, ik kan het maken om mijn huiswerk niet te doen. Niemand die er iets van zegt.

'Die arme Jess. Ze kan het allemaal niet aan nu haar moeder kanker heeft. Laat haar maar.'

Getver. Hoe dan ook, hoe erg ik het ook vind, ik denk niet dat ik ooit een opdracht te laat zou inleveren. Daar ben ik veel te netjes voor. Net als mama. Ik verdiep me in het eerste bedrijf, de zevende scène, in het kasteelleven van Dunsinane.

Dit is precies het gedeelte dat Muggs, mevrouw Taylor en ik 's middags oefenen. Het is echt een coole scène. Macbeth krijgt last van schuldgevoel en besluit de koning niet te doden. Het is mijn taak om hem weer te overtuigen het wél te doen. Ik zeg dat hij laf is, ik terg hem tot het uiterste, ik gooi al mijn seksuele charmes in de strijd om mijn zin door te drijven.

'Wat voor beest dan
Heeft u dit alles aan mij doen vertellen?'

Ik ben woedend dat hij van gedachten is veranderd. Wat mij betreft is het een teken dat hij niet genoeg van me houdt. Als je van me houdt, dan vermoord je de koning. Zo simpel ligt het. Macbeth heeft me zwaar teleurgesteld. Ik gooi hem van alles naar zijn hoofd.

'Toen u het durfde, ja, toen was u een man;
En, om nog meer te zijn dan toen, wilde u
Nog veel meer man zijn.'

Precies, zo doe je dat: hem laten merken dat hij als man geen ruk voorstelt. Daar kunnen mannen niet tegen, volgens Ali. Die Lady M. Zij weet ook precies hoe mannen in elkaar zitten.
De volgende regels snap ik niet.
'Mevrouw, ik snap dit niet. Het lijkt wel of ze een kind heeft gehad.'
'Ja? En?'
'Waar is dat kind dan? Er wordt verder nergens over een kind geschreven.'

'Dat is nu precies wat er zo geheimzinnig is aan Shakespeare. Wat is er met het kind van Lady Macbeth gebeurd? Niemand die het weet. Denk je dat het van Macbeth was?'

'Hoe bedoelt u?'

'Nou, misschien komt het kind wel uit een eerdere relatie. Macbeth heeft het nergens over een kind. Het maakt deze relatie een stuk interessanter.'

Dat is een feit. Dus in die tijd deed ook iedereen het met elkaar? Er verandert ook helemaal niets. Maar dat verklaart nog niet wat er met dat kind is gebeurd.

Ik richt mijn aandacht weer op de tekst. Kan ik dit wel tegen Muggs zeggen? Ik bedoel Macbeth, natuurlijk.

Het punt is dat Lady Macbeth hier wel heel erg tekeergaat. Ze zegt dat ze eerder het kindje aan haar borst zijn hersens zou inslaan dan haar woord aan hem te breken. Dat is al erg genoeg. Maar de woorden die ze hem toesnauwt zijn het echte probleem:

'Ik heb gezoogd,
Ik ken de tedere liefde tot een zuigeling:
En toch zou ik, al lachte hij tegen mij,
Mijn tepel uit die kaakjes hebben weggerukt,
De hersenen ingeslagen, als ik
Gezworen had als u.'

Dit bedoel ik dus. Het klinkt misschien gestoord, maar ik schaam me ervoor.

Muggs wacht tot ik verderga, maar ik kan het gewoon niet. Mevrouw Taylor merkt dat ik aarzel.

'Zullen we het hierbij laten vandaag? Ik denk dat jullie tweeen deze scène eerst samen moeten bespreken. Dat lukt toch wel, hè?'

Zij en Muggs lachen naar me. Ik lach een beetje sullig terug. Zíj denken dat het zal lukken.

Ik dacht dat ik helemaal in de put zou zitten terwijl mama in het ziekenhuis lag, maar de volgende dag heeft mevrouw Taylor een verrassing voor de hele ploeg van Macbeth. Ze heeft een geweldig, briljant, te gek gaaf idee.

'Ik heb eens zitten denken,' begint ze. 'Jullie beginnen je echt te verdiepen in het toneelstuk, iedereen doet zijn best en het begint allemaal lekker te lopen. Maar om het stuk echt helemaal perfect te krijgen, denk ik dat we iets aan teambuilding moeten doen.'

Ali rolt met haar ogen. Dat teambuilden kennen we allemaal nog wel van maatschappijleer. We hebben al zoveel gedaan om beter te leren samenwerken! We hebben gespeeld dat we op een onbewoond eiland waren aangespoeld, dat we ondernemers waren die allemaal nieuwe bedrijven gingen opzetten, dat we een atoomoorlog hadden overleefd... Voor ons geen teambuilding meer, alsjeblieft! Dat kennen we onderhand wel.

'Ik denk echt dat jullie het helemaal te gek zullen vinden,' gaat mevrouw Taylor verder. Ze moet lachen om onze ongelovige blikken. Haar ogen dansen.

'Ik heb het allemaal al met de directeur besproken. Als jullie ouders hun goedkeuring geven en we het geregeld krijgen met de verzekering, dan kan het doorgaan.'

Nu spits ik wel mijn oren. Dit zou misschien toch wel eens interessant kunnen zijn. Ik zie dat de anderen ook vol spanning afwachten.

'Toe nou, mevrouw,' dringt Muggs aan. 'Wat is het plan?' Ze gaat er speciaal voor staan. Dan leest ze voor van de stapel papieren die ze in haar hand heeft.

'Tijd: De laatste week van augustus
Plaats: Een klif in Cornwall
Gelegenheid: Het Big Rock muziekfestival...'

Verder komt ze niet. Dat hoeft ook niet. We zijn allemaal al uitzinnig van blijdschap. We dansen en springen en gillen door elkaar. Ali gooit haar armen om mijn nek en daarna om die van Muggs. 'Ja! Ja! Ja!' roept Kelly die ook naar Muggs toe rent om hem te omhelzen. Hij is haar te snel af en pakt mij vast, zo stevig dat ik bijna niet kan ademen.

Mevrouw Taylor kijkt het allemaal even lachend aan. Zodra we een beetje gekalmeerd zijn begint ze te vertellen wat er van ons verwacht wordt.

'Het doel van dit uitje is om elkaar goed te leren kennen. Tegen de tijd dat we weer terug zijn komt de uitvoering echt heel dichtbij. Dan hebben we geen tijd en zin meer om ons ook nog eens in elkaar te verdiepen. En bovendien krijgen we de kans om ook nog eens naar geweldige muziek te luisteren!'

Weer klinkt er gejuich. Als het weer stil is gaat ze verder.

'Er zijn wel enkele regels waar we ons allemaal aan moeten houden. Het zijn er niet veel, maar toch. De regels zijn:

1. Aparte jongens- en meisjestenten;
2. Geen alcohol, geen tabak en geen illegale substanties;
3. Voor we weggaan moet iedereen zijn tekst van voor naar achter en van achter naar voren kennen;
4. Iedere ochtend staan we om acht uur op, waarna we vier uur de tijd hebben om te repeteren voordat de muziek begint.

Het klinkt allemaal heel redelijk. Iedereen doet wel net of het 'om acht uur opstaan'-concept te veel is, maar ondertussen kunnen we ons geluk niet op.

Het Big Rock muziekfestival! Daar wil ik al naartoe sinds Carly vorige zomer naar het festival in Glastonbury is geweest. Mama en papa vinden me daar te jong voor. Dit uitje kunnen ze me niet weigeren! Het is een schoolreisje. Een schoolreisje naar het coolste zomerfestival. Mevrouw Taylor is geweldig.

'Lang leve mevrouw Taylor!' roept Muggs. 'Hiep hiep...'

'Hoera!'

Het dak gaat eraf. We pakken allemaal een inschrijfformulier. Dan komt papa binnen om te vragen waar al dat lawaai vandaan komt. Hij is bezig het decor te bouwen, met behulp van een stel jongens uit de eerste. Papa grijnst naar mevrouw Taylor.

'Ik neem aan dat je plan is goedgekeurd?'

'Wist jij hiervan?' vraag ik aan hem.

'Ja, Cathy heeft het er wel over gehad.'

'Ik mag toch zeker wel mee, hè pap?' Ik laat me in ieder geval niet tegenhouden.

'Je moet het natuurlijk nog wel even aan je moeder vragen,

maar die zegt vast ja. Bovendien, als alles goed gaat ga ik ook mee om jullie allemaal in de gaten te houden.'
'Maar dat kan niet!' roep ik verschrikt. Dat je vader altijd maar bij je op school rondloopt is één ding, maar om hem ook nog in je nek te hebben hijgen bij een rockfestival is echt te veel van het goede. 'Daar ben je veel te oud voor!'
Mevrouw Taylor barst in lachen uit, maar papa kijkt me boos aan.
'Ik liep anders al op Glastonbury rond voordat jij ook maar geboren was, hoor!'
Precies. Dat bedoel ik.
'Maar goed. Mevrouw Taylor kan niet in haar eentje op jullie letten.'
Ik besluit er verder maar niet op in te gaan. Mama begrijpt vast dat ik hem er niet bij wil. Zij houdt hem wel tegen!
'Ga jij nu ook naar het ziekenhuis, pap?'
'Ik kom er zo aan, Jess. Ik moet nog even iets met Cathy bespreken.'
'Oké. Dag, mevrouw Taylor.' Ik heb haar altijd al de beste lerares van de hele school gevonden, maar nu vind ik haar een regelrechte heilige.
Buiten wacht ik op het schoolplein tot papa ook komt. Muggs en Ali staan bij me. We verheugen ons zo ontzettend op dat weekje in Cornwall.
'Al die vette bands!' roept Ali.
'En *Macbeth*!' zeg ik.
'Zon, zee en seks,' vult Muggs aan.
'Zou het niet helemaal gaaf zijn als Sean ook mee kon?' zegt Ali dan. 'Denk je dat hij mee zou mogen?'
'Maar hij speelt helemaal niet mee!' protesteer ik.

83

'Hij kan toch helpen? Hij kan souffleur worden, of invaller. Ik ga het meteen aan mevrouw Taylor vragen.'

'Kun je het eerst niet beter aan Sean zelf vragen?' roept Muggs haar nog na, maar ze is al weg. 'Wat vrouwen allemaal niet van een man vragen! En zie jij het voor je, Sean als souffleur?'

We moeten allebei lachen.

'Mevrouw Taylor laat het nooit toe. Zo soft is ze niet.'

'Nee, daar heb je gelijk in,' zegt Muggs. 'Jammer van die aparte tenten. Maar daar vinden we vast wel iets op.'

Hij lacht zijn scheve lachje weer naar me. Ik smelt er zowat van.

'Ik ga nu,' zegt Ali, die opeens weer voor ons staat.

'Dat heb je snel gedaan,' zeg ik. 'Ze zei zeker nee?' Ali kijkt me niet aan.

'Ik heb het haar niet gevraagd.'

'Waarom niet? Gaat het wel?' Ze ziet er maar beroerd uit.

'Ja hoor, prima. Maar ik bedenk net dat ik op mijn zusje moet passen.' Snel pakt ze haar tas op.

'Ali, wilde je me spreken?' roept mevrouw Taylor vanuit de deuropening.

'Nee!' zegt Ali snel. Brutaal.

'Wacht, ik wil even met je praten,' zegt mevrouw Taylor weer. Ze loopt het schoolplein op, gevolgd door mijn vader.

'Sorry. Ik moet ervandoor.' Dan rent Ali zo snel ze kan het schoolplein af. Verbaasd staren Muggs en ik haar na.

'Waar sloeg dat nou op?' vraag ik aan mevrouw Taylor. Ze kijkt bezorgd.

'Ik weet het niet. Heeft ze niets gezegd?'

'Nee. Alleen dat ze moest oppassen.' Ik draai me om naar

Muggs. 'Ik dacht dat haar moeder Lola zelf van de crèche zou ophalen?'

Hij haalt zijn schouders op.

'Ach, ze moet zeker naar een geheim vriendje toe of zo,' zegt papa. Hij probeert lollig te doen. Hij praat net zoals hij tegen mama praat sinds we weten dat ze kanker heeft. Zij trapt er ook niet in.

Ik kijk hem onderzoekend aan, maar hij wendt zijn blik af. 'Ga je mee, pap? Anders zijn we te laat voor het bezoekuur. Tot ziens, mevrouw Taylor. Doei, Muggs.'

Mevrouw Taylor lacht zuinig. Haar ogen lachen niet mee. 'Dag, Jess. Blijven studeren op die tekst, hè? Tot morgen, Rob.'

Ze blijft naast Muggs staan kijken tot papa en ik wegrijden. Dan zwaait ze even. Ze lijkt echt overstuur. Als ik papa wil vragen of hij soms weet wat er met haar is, zie ik hem zo treurig kijken dat ik het maar laat zitten.

In het ziekenhuis kopen we eerst een bos bloemen en een stapel tijdschriften. Daarna lopen we naar de zaal waar mama ligt. Ik kan niet wachten tot ik haar over het Big Rock festival kan vertellen, maar ze is nog helemaal duf en misselijk van de narcose. Ik vind het vreselijk om haar zo te moeten zien. Onder haar rechterarm heeft ze een dik verband. Die smerige plastic zak hangt er ook weer. Mama glimlacht en probeert iets te zeggen, maar haar mond is te droog. Papa schenkt een glas water voor haar in en helpt haar omhoog zodat ze kan drinken. Wat is hij toch lief voor haar.

Dan raak ik in paniek. Ik wou dat ik niet was gekomen. Harteloos van me, hè? Maar ik kan gewoon niet tegen ziekenhuizen. De zalen zijn altijd zo benauwd. En dan die stank!

Die geur van ontsmettingsmiddel die een nog veel ergere lucht probeert te verdoezelen. De geluiden zijn ook vreselijk: dat gekreun, de winden, de braakgeluiden die altijd vanachter al die gesloten gordijnen om bedden heen komen. De steken, de infusen, de spuiten en al die oude, zieke mensen in al die bedden. Maar wat ik nog het ergst vind is mijn actieve, bazige, handige moeder die daartussen ligt. Mijn hoofd bonst. Ik ben misselijk. Ik heb frisse lucht nodig. 'Ik wacht buiten wel,' zeg ik. 'Dan kunnen jullie even lekker samen zijn.' Ik geef mama een kus op haar voorhoofd. Het voelt warm en klam aan.

Buiten is het lekker koel en helder. Ik haal een paar keer diep adem. Ik moet even met iemand praten. Muggs werkt nu, dus bel ik Ali maar op haar mobiel. Ze neemt niet op. Dat kind is er nou nooit als ik haar nodig heb! Ik laat een berichtje achter waarin ik zeg dat ze me moet terugbellen. Daarna bel ik oma.

Mama wordt dan misschien gek van haar, maar ik ben dol op mijn oma. Zodra ik haar stem hoor stort ik helemaal in. Binnen een paar minuten heb ik haar in tranen het hele verhaal verteld. Ze schrikt zich natuurlijk een ongeluk van het nieuws dat mama kanker heeft. Toch weet ze mij gerust te stellen.

'Het is natuurlijk een ernstige ziekte, Jess, maar tegenwoordig betekent het niet automatisch dat je er dood aan gaat. Er wordt ontzettend goed voor haar gezorgd en jij en je vader steunen haar ongetwijfeld ook zo goed als jullie kunnen.'

'Aan mij heeft ze anders niets. Papa is heel anders. Ik vind het vreselijk om haar zo te zien. Ik zou echt een waardeloze verpleegster zijn. Wat kan ik nou helemaal doen?'

'Je kunt jezelf zijn. Gewoon verdergaan met je leven. Haar laten zien dat je het ook goed doet op school als ze niet over je schouder meekijkt.'

Ondanks alles moet ik toch even lachen. Oma kent haar dochter erg goed.

'Zorg dat je je best doet voor dat toneelstuk waarin je meespeelt. Ze zal echt beretrots op je zijn.'

'Bedankt, oma.'

'Hou je taai, schat.'

'Doe ik.'

Ik klap mijn mobiel dicht en neem een besluit. Vanaf nu ben ik net zo sterk als Lady Macbeth. Ik *'moet alleen mijn moed op het scherpste spannen, en falen doen wij niet.'*

Papa komt nu naar buiten. Hij haalt zijn handen door zijn haar en wrijft in zijn ogen, zoals hij altijd doet als hij moe is. Net als hij zijn telefoon wil pakken ziet hij me staan. Hij stopt zijn mobiel weer weg. Ik loop naar hem toe en steek mijn arm door de zijne.

'Ik heb het aan oma verteld,' biecht ik op.

Hij haalt zijn schouders op en klopt me even op mijn arm.

'Goed hoor, schat. Ze moest het toch een keer weten.' Papa gaat nooit zo tekeer als mama als ik iets fout doe. 'Ik zal haar vanavond wel even bellen om te zeggen dat ze vooral niet hiernaartoe moet komen. Ze kan hier toch niets doen.'

'We komen er wel uit met z'n allen, hè pap?'

Even doet hij zijn ogen dicht. Mijn maag lijkt een duikeling te maken. Dan herstelt hij zich. 'Ja, natuurlijk. Het ergste heeft ze nu gehad. *Val aan, Macduff.'*

Ik moet lachen.

'Verdoemd is hij, die het eerste roept: Genade!'

'Goed zeg. Ik ben onder de indruk. Ik wist niet dat jij kon acteren.'

'Ik zit vol verrassingen,' zegt hij grijnzend.

'Ja hoor.'

Als hij íets niet is, dan is het verrassend. Maar dat vind ik wel fijn. Lekker veilig en voorspelbaar.

Terwijl mama in het ziekenhuis ligt leer ik gewoon mijn tekst. Wat moet ik anders doen? Muggs is druk met school en Ali... Joost mag weten wat er mis is met Ali. Ze zit altijd maar bij Sean en ze is altijd chagrijnig. Ze is zelfs brutaal en grof tegen de leraren.

Pas liet mevrouw Taylor ons een opstel schrijven over de thema's in *Macbeth*. Om ons op weg te helpen besprak ze eerst wat ze van ons verwachtte. Ze had het over bedrog en werkelijkheid en over hoe je niet kunt vertrouwen op wat je ziet. Heel interessant. Zo legde ze uit dat Macbeth en Lady Macbeth in het eerste bedrijf overkomen als twee aardige mensen, maar ondertussen beramen ze de moord op Duncan. Terwijl ik aantekeningen zat te maken, zag ik vanuit mijn ooghoek dat Ali zat te rotzooien.

Ze zat met Colin Stevens te kletsen, de jongen die niet tot tien kan tellen en altijd stom zit te giechelen. Vreemd genoeg zei mevrouw Taylor er helemaal niets van, terwijl ze dit soort gedrag anders echt niet pikt.

Ze schreef met hoofdletters haar favoriete regel, HOU JE ALTIJD AAN DE TEKST, op het bord, met een aantal handige citaten. Het was stil in de klas terwijl we de citaten overnamen.

Lijk op de open bloem,
Maar wees de slang eronder.

En:

Wie leest er ooit
De toestand van het gemoed in het gelaat.

En:

Vals spel bedekt waar mijn hart vals zal zijn.

Op dat moment begon Ali hardop te grinniken. Mevrouw Taylor kon er niet omheen. Ze keek haar aan.

'Denk jij misschien dat je alles weet van bedrog, Alison?' vroeg ze met een kille, zachte stem.

'Niet zoveel als u, natuurlijk.' We schrokken allemaal van haar brutale toon. Niemand sprak zo tegen mevrouw Taylor. Ze was juist zo aardig. Mevrouw Taylor kleurde tot aan haar haarwortels.

'Ali!' riep ik. 'Dat is toch nergens voor nodig?'

Ze draaide zich naar me om en keek ons allemaal kwaad aan. Daarna stond ze op en stormde het lokaal uit. Iedereen staarde haar met open mond na.

'Zeker ongesteld,' merkte Colin op, maar niemand lachte mee.

'Zal ik achter haar aan gaan?' vroeg ik.

Mevrouw Taylor schudde haar hoofd. 'Ik praat later wel met haar.' Haar gezicht was nu wit. Zo wit, dat haar sproeten extra opvielen. Arm mens. Dat had ze echt niet verdiend.

Toen ik thuiskwam belde ik direct Ali, om te vragen wat er met haar aan de hand was. Haar moeder nam op en zei dat Ali nog niet was thuisgekomen. Ik vroeg of ze Ali kon laten terugbellen, maar ik hoorde niets meer van haar. De volgende dag was ze niet op school. Maar al snel had ik wel iets anders aan mijn hoofd dan Ali Brown. Mama kreeg de uitslag van het onderzoek. Het was geen goed nieuws.

Ze ligt nog steeds in het ziekenhuis. Ik krijg niet meer zo de zenuwen als ik bij haar op bezoek ben. De oudere patiënten van eerst zijn vervangen door jongere. Als we binnenkomen schijnt net de zon naar binnen, regelrecht op de vele vazen met bloemen die naast mama's bed staan. Ze ligt naar een cd van Enya te luisteren.

Eén blik op haar gezicht en ik weet hoe laat het is. Haar neus en ogen zijn rood, alsof ze veel gehuild heeft.

'Ze hebben ontdekt dat er meer lymfeklieren aangetast zijn. Het is erger dan ze dachten.'

Ik krijg het er koud van. Ze gaat toch zeker niet dood?

'Hoe erg is het dan, mam?' vraag ik. Ze slaat haar arm om me heen. In het bed tegenover haar tilt een vrouw haar kindje bij haar op bed. Hij probeert er meteen weer af te kruipen, maar haar man is er op tijd bij. Ze giechelen het allemaal uit.

'Ze kunnen het in ieder geval behandelen,' zegt ze. 'Ik ben bij de oncoloog geweest en die wil, zodra ik het aankan, met chemotherapie beginnen. Als het kan volgende week.'

Hoe heeft dit toch allemaal kunnen gebeuren? Mijn mooie, gezonde moeder die chemo krijgt. Zij is altijd degene die ons gezond houdt. Ik barst in tranen uit. Papa houdt ons allebei stevig vast. Hij klopt op mijn rug alsof me iets dwarszit. 'Het komt allemaal wel goed,' zegt hij steeds, maar het klinkt alsof hij zichzelf er ook van moet overtuigen.

Hij geeft me zijn zakdoek en ik veeg mijn ogen droog. Het kindje aan de overkant zit ons geïnteresseerd aan te kijken. Dan begint hij te grinniken. Als ik mijn neus snuit klapt hij van plezier in zijn handjes. We lachen allemaal hardop.

'Dat is Alfie. Gail is zijn moeder. Ze ligt hier voor hetzelfde als ik.'

Nieuwsgierig kijk ik naar haar. Ze heeft lange blonde haren. Het kindje probeert het iedere keer vast te grijpen. Ze ziet er veel te jong uit om kanker te hebben. Ze lijkt meer op Ali dan op mama, met dat haar. Ik vraag me af of ze nog borstvoeding geeft.

'Gail en ik beginnen tegelijk met de chemo,' vertelt mama. 'Ik vind het wel fijn om iemand te hebben die precies hetzelfde meemaakt.'

Ik kijk even naar papa. Hij trekt zijn wenkbrauwen op en lacht even schamper. Mama is weer aan het netwerken, hoor. Gail merkt dat we het over haar hebben en zwaait. Alfie tilt ook zijn handje op.

'Ze ziet er heel aardig uit,' zeg ik dan. 'Jullie zijn vast goed bevriend.'

'Dikke vriendinnen,' zegt papa. Mama geeft hem een mep.

Op weg naar huis is papa weer heel stil. 'Mama zal de schoolinspectie denk ik niet halen, hè?' zeg ik om de stilte te verbreken.

'Nee, schat,' zegt hij met een diepe zucht. 'Dan krijgt ze al chemo. Dat wordt een lekkere zomervakantie voor haar.'

'Als het allemaal achter de rug is moeten jullie maar lekker samen op vakantie gaan, in een heel duur hotel,' stel ik voor. Papa klopt me even op mijn knie. 'Je bent een lief kind.' Na een korte stilte gaat hij verder. 'Ik denk dat ik dat Big Rock festival ook maar moet laten schieten. Mama zal me wel nodig hebben.'

Jippie! Krijg ik weer mijn zin! Lekker lol maken in Cornwall, met mijn vriendje en mijn beste vriendin, zonder dat mijn pa in mijn nek staat te hijgen.

Maar dan voel ik me direct weer ontzettend schuldig. De reden waarom hij niet mee kan is omdat mama zo ziek is. Komen al mijn wensen uit, had ik het eigenlijk liever niet gehad... Ik voel me er zo rot over dat ik meteen iets doms zeg. 'Ik kan wel thuisblijven om voor haar te zorgen.'

Er klinkt een vreemd geluid. Alsof er een trein door een tunnel komt aanrijden: gedender dat steeds harder wordt. Het is papa, die in een bulderlach uitbarst.

Als hij een beetje gekalmeerd is, wrijft hij zijn ogen droog. 'Wat is er nou zo grappig?' vraag ik beledigd.

'Sorry, Jess,' zegt hij, nog steeds nahinnikend. 'Maar zie je het voor je? Jij een week lang voor je moeder zorgen, terwijl ik lekker met Muggs en Ali naar een popfestival ga? Ik zie het niet gebeuren.'

Als hij het zo stelt begrijp ik wel wat hij bedoelt. Ik steek mijn tong naar hem uit en daarna grijns ik naar hem. Die lieve papa toch. Ik ga lekker achterover zitten, met mijn voeten op het dashboard. Ik ben al veertien jaar, maar mijn vader weet nog steeds hoe hij ervoor moet zorgen dat alles in de hele wereld goed komt. Had Lady Macbeth maar zo'n vader gehad.

De zomervakantie komt eraan, maar voor het zover is hebben we nog een proefwerkweek. Na al die ellende van de afgelopen weken is het bijna een opluchting dat ik even heel hard moet leren. Ali blijft steeds weg van school. Ze zegt dat ze pfeiffer heeft, ook al is er bloed geprikt en blijkt daaruit dat ze niets heeft.

'Pfeiffer krijg je door te zoenen,' zegt ze als ik bij haar langs ga. Ze zit in de tuin tijdschriften te lezen.

'Ik noem het Seanitis,' zegt Debbie lacherig, terwijl ze de was aan de waslijn hangt. Lola, Ali's zusje, hangt aan haar benen. Ali is voor haar doen erg rustig. Anders is ze altijd zo aanwezig. Maar vandaag is ze helemaal niet geïnteresseerd in alle roddel die ik te melden heb. In gedachten verzonken kijk ik naar hoe ze daar ligt, in haar minuscule bikini, met haar lange blonde haren opgestoken. Haar lange, lenige lichaam wordt al prachtig bruin. Het is niet eerlijk. Als ik in de zon lig, zie ik er binnen de kortste keren uit als een kreeft.

'Ik dacht dat je me ontweek. Je bent er steeds niet,' zeg ik luchtig, hoewel ik er stiekem best van baal. Ali loopt al jaren achter me aan en dat vind ik soms helemaal niet leuk. Maar ze is nu al weken niet bij me thuis geweest. Al sinds die ene ontploffing op school niet meer. En ik maar denken dat ze er altijd voor me was!

'Heb ik soms iets verkeerds gedaan?'

'Nee. Jij niet,' zegt ze, terwijl ze overeind gaat zitten. 'Sorry, hoor. Ik voel me gewoon niet zo lekker.'

'Ze heeft het veel te druk met Sean,' zegt Debbie, die zich uit de greep van Lola probeert te bevrijden. 'Ik zei al tegen haar dat ze je verwaarloost.'

'Hoe bedoel je, "jij niet"?' vraag ik dan. Ali heeft een zonnebril op, dus ik kan niet uit haar blik opmaken wat ze bedoelt. 'Heeft er dan iemand anders wel iets verkeerds gedaan?'

'Nee hoor. Laat maar. Hoe gaat het met je moeder?'
Ik trek een gezicht. 'Niet zo goed. Ze is met chemotherapie begonnen en het valt haar erg zwaar. Papa kan niet mee naar Big Rock. Hij moet voor haar zorgen.'
Ali kijkt meteen een stuk blijer. 'Nou ja. Een geluk bij een ongeluk. Zonder je pa wordt het in ieder geval wel gezellig.'
'Ali!' roept Debbie, oprecht boos. 'Wat is dat egoïstisch van je, zeg! De ouders van Jess hebben het heel moeilijk op dit moment en jij denkt alleen maar aan jezelf!'
Ali loopt helemaal rood aan. 'Sorry. Zo bedoel ik het niet.'
'Het geeft niet, joh.' Ik bedoel, ik heb precies hetzelfde gedacht. Toch ben ik een beetje verbaasd dat Ali zo reageert. Ze is altijd dol geweest op mijn vader. Anders vindt ze het juist hartstikke leuk als papa erbij is.
'Ik ga maar weer,' zeg ik. 'Kom je straks nog naar mij toe? Dvd'tje huren, of zo?'
'Nee, ik kan niet. Sean komt zo.' Het lijkt wel of Ali ieder moment in huilen kan uitbarsten. Debbie kijkt haar net zo verbaasd aan als ik. Wat is er toch mis met haar?

★★★

Eindelijk is het dan vakantie. Iedereen die meedoet aan het toneelstuk is helemaal hyper vanwege het rockfestival in augustus. Tot die tijd hebben we geen repetities meer. In plaats daarvan studeren we zelf op onze tekst, zodat we tijdens de schoolreis alles uit ons hoofd kennen.

We hebben allemaal onze formulieren ingeleverd en de reis betaald. Ik heb mama nog niets verteld omdat ze zo bezig is met die chemotherapie, maar papa heeft de formulieren getekend en heeft ook het hele bedrag overgemaakt. Ik hoef het niet eens terug te betalen! Muggs en Ali moeten er allebei voor werken en het later terugbetalen. Heb ik even geluk dat mama niet wil dat ik voor mijn eindexamen een baantje neem!

De chemotherapie is een ramp. Op de eerste twee maandagen van de maand moet mama naar het ziekenhuis. Dan krijgt ze injecties met zwaar gif die (hopelijk) de kankercellen kapotmaken. Verder moet ze twee weken lang iedere dag medicijnen innemen.

Het probleem is dat niet alleen de kankercellen doodgaan, maar ook de gezonde. Mama voelt zich dus rot. Het duurt de hele rest van de maand voordat ze zich weer een beetje beter voelt. En dan begint alles weer van voor af aan.

Wat het allemaal nóg erger maakt – als dat al mogelijk is – is dat ze drie uur lang met een of andere toeter op haar hoofd moet zitten. Een hoofddeksel waar ijskoud water in zit. De bedoeling is dat door het ijswater de haarzakjes bevriezen, waardoor de medicijnen het haar niet kunnen aantasten. Op die manier hou je dus je haar.

Tenminste, dat is de bedoeling. Bij mama lijkt het niet te werken.

Twee weken na het begin van de chemotherapie, als ik onder de douche sta, hoor ik ineens een ijselijke gil uit mama's slaapkamer komen. Tegenwoordig blijft ze liggen als papa opstaat, omdat ze 's nachts zo slecht slaapt. En dat terwijl zij altijd degene was die vroeg opstond.

Papa rent de trap op.

'Wat is er?' vraag ik. Het water druipt van me af, op het tapijt.

'Moet je zien!'

Haar hele kussen is bezaaid met donkere haren.

Papa komt meteen weer met zijn 'het komt allemaal wel goed'-verhaal aan. 'Maak je geen zorgen, joh. Iedereen verliest zo'n honderd haren per dag. Dat is heel normaal.'

'Dit is echt niet normaal, hoor!' schreeuwt mama. 'Hier kun je een pruik van maken! O, God.' Ze laat zich weer in de kussens vallen. 'Die heb ik straks wel nodig als het zo doorgaat.'

Ze ziet er zo verslagen uit. Papa slaat snel zijn armen om haar heen.

'Het is niet erg, Di. Mijn haar valt toch ook uit? Nu worden we samen kaal.'

Mam brult het uit en duwt papa van zich af. Dan draait ze zich om en begint hysterisch te huilen, met haar gezicht in het kussen. Papa staat er maar verloren bij. Ik wil ook huilen.

'Kleed je eens aan, Jess,' zegt hij, terwijl hij zich op het bed laat zakken. Op dat moment gaat de deurbel. Terwijl ik mijn handdoek wat vaster om me heen knoop loop ik naar beneden. Boven hoor ik mama nog huilen. Door het melkglas van de voordeur heen zie ik een meisje staan. Dat zal Ali wel zijn. Dan moet ik maar zorgen dat ze snel weer verdwijnt. Ik wil niet dat ze mijn moeder zo hoort.

Ik doe de deur open. En wie staat daar, met een grote grijns op haar gezicht en bepakt met een grote rugzak? Carly! Ik schreeuw het uit van blijdschap en sla mijn armen om haar heen. Mijn handdoek glijdt op de vloer. Daar sta ik dan, poedelnaakt, met mijn verloren zus in mijn armen.

Ik kan bijna niet geloven dat ik mijn zus terugheb. Ze ziet er zó anders uit! Ze is hartstikke dun (kreng!) en ze is prachtig bruin. Niet dat vieze oranje kleurtje dat je krijgt van twee weken Ibiza, maar een mooie, egale, honingachtige kleur, waardoor het lijkt alsof ze glimt. Ze heeft een knopje in haar neus en een piercing in haar wenkbrauw, maar wat nog wel het meest opvalt is haar haar, of liever, het gebrek eraan. Het is zo kort dat het net lijkt of ze haar hoofd geschoren heeft. Nu lijken haar ogen extra groot. Ze ziet eruit als een heel mooie jongen.

'Toen ik in Thailand was heb ik mijn hoofd laten scheren,' legt ze uit, terwijl ze gebakken ei met spek naar binnen werkt. 'Ik heb maar besloten om het zo te laten. Het is zo makkelijk! Moet jij ook proberen, mam.'

'Misschien doe ik dat inderdaad wel.'

Mama is opeens weer mama, in plaats van het wrak (oma's woorden, niet de mijne!) van eerst. Ze heeft voor ons allemaal eieren gebakken, hoewel ze:

a) net voordat Carly kwam nog lag te janken;
b) gebakken eieren niet gezond vindt;
c) vreselijk misselijk is van de chemo.

Carly zit te eten alsof ze al maanden geen vast voedsel heeft gehad. Mama lacht en lacht terwijl ze door de keuken huppelt in de sarong die Carly voor haar heeft meegenomen uit Thailand. Voor mij heeft ze in Australië surfspullen gekocht en T-shirts, broeken en een heel gave portemonnee. Papa krijgt een didgeridoo. Ik til hem op en blaas erop.

'Nee! Dat moet je niet doen, Jess!' roept Carly.

'Waarom niet?'

'Volgens de Aboriginals mogen alleen mannen op de didgeridoo spelen. Als vrouwen het doen brengt dat ongeluk. Iets met vruchtbaarheid, of zo.'

'Lekker,' zeg ik. Ik leg het ding snel terug. Nu rusten er dus twee vloeken op me: een van Australische inboorlingen en een van een stel elfde-eeuwse Schotten.

'Hoe heb je dat ding meegesleept, Carly?' Papa is er helemaal blij mee. Hij blaast erop tot hij gevaarlijk rood aanloopt. 'Is er een cursus waar ik dit kan leren?' Er komt een benauwd, krassend gepiep uit.

'Ik mag hopen van niet,' zegt mama. 'Weet je nog, toen Jess op vioolles zat?'

'En bedankt,' protesteer ik, als Carly en papa beginnen te kreunen. 'Leuk, allemaal even lachen om die domme Jess.' Het huis lijkt weer helemaal tot leven te komen. Ik vind het heerlijk dat Carly thuis is.

Het duurt dagen voor we een beetje zijn bijgekletst. Ze heeft het geweldig gehad. Sexy Todd is in New South Wales achtergebleven en sindsdien reisde ze met een Amerikaan genaamd Jake.

'We zouden eigenlijk naar Vietnam gaan, maar toen ik jouw

e-mail kreeg wilde ik alleen nog maar naar mama toe,' zegt ze. Ze ligt op mijn bed tijdschriften door te bladeren. 'Hij is er nu in zijn eentje naartoe. Hij is tweedejaarsstudent en bloedmooi.'

'Denk je dat je hem nog zult zien?'

'Dat hoop ik wel. Hij zou op doorreis ook naar Londen komen, dus ik hoop dat we elkaar daar zien. We mailen wel iedere dag. En hoe is het met jou en Muggs?'

'Goed hoor.'

Om eerlijk te zijn weet ik eigenlijk niet zo goed hoe het gaat. Nu het vakantie is zien we elkaar bijna niet meer. Hij is druk aan het werk in de Star Bar en als hij niet werkt past hij op zijn broertjes en zusjes.

'Iedere keer als ik hem zie heeft hij wel een horde krijsende kids achter zich aan lopen,' klaag ik.

'Jullie zouden eigenlijk een zomerromance moeten hebben,' zegt Carly grijnzend.

'Ik hoop dat dat ook echt gaat gebeuren.' Snel vertel ik haar over het Big Rock festival en over het toneelstuk.

'Wat zei mama toen je haar vertelde van Big Rock?'

'Niks. Ze weet het nog niet.'

'Ze laat je nooit gaan, hoor. Ik mocht ook pas naar Glastonbury toen ik achttien was, terwijl ik er al vanaf mijn veertiende om zeurde.'

Ik wilde het iedere keer wel aan mama vragen, maar ze was steeds zo ziek.

'Volgens mij komt het wel goed. Papa heeft alle formulieren ondertekend.'

'Dat maakt echt niets uit. Mama heeft het hier in huis voor het zeggen.' Ondertussen zit Carly door een fotoalbum te bladeren. 'Deze vind ik leuk. Die van jou en Ali met Kerstmis.'

Ik kijk even naar de foto. We staan allebei breeduit naar de camera te grijzen, met onze armen om elkaars nek geslagen. We hebben allebei hetzelfde gestreepte truitje aan. 'Ik was woedend op Ali, omdat ze hetzelfde truitje had gekocht als ik,' herinner ik me. 'Ik had hem het eerst.'

'Ze wil gewoon op je lijken.'

'Doe niet zo gek! Ze vindt me een stuudje.'

'Ja, en daar maakt ze gretig gebruik van. Schrijft ze niet altijd jouw huiswerk over? Volgens mij is ze gewoon jaloers op je.'

Verbaasd kijk ik haar aan. 'Denk je echt? Ik bedoel, ik weet heus wel dat ik wat meer hersencellen heb dan zij, maar ik heb nooit gedacht dat ze daarmee zat.'

'Maar dat is niet het enige, hoor. Ze is jaloers op alles.'

'Zoals?'

'Nou ja, jij kunt in ieder geval beter acteren. Jij hebt de rol van Lady Macbeth, zij niet.'

'Daar heeft ze geen problemen meer mee, hoor. Je kent haar toch? Ze is allang vergeten dat zij ook auditie heeft gedaan voor die rol.'

'Mmm. En jongens, natuurlijk.'

'Nee, dat heb je echt helemaal mis, dat weet ik zeker. Ali wordt altijd omringd door jongens.'

'Ja, maar dat komt alleen omdat ze er zo vreselijk haar best voor doet. Eerlijk gezegd is ze natuurlijk gewoon een beetje een snol.'

'Carly!' De pot verwijt de ketel, zeg!

'Ik bedoel, ze heeft niet wat jij en Muggs hebben, toch? Jij hoeft toch niet je best te doen om de aandacht van Muggs te trekken?'

Ik begin een beetje te begrijpen wat ze bedoelt. Ik moet toegeven dat ik me best zorgen maak om Ali. Sinds het begin van de vakantie heb ik haar bijna niet gezien. Ze komt nooit langs en als ik haar bel heeft ze net Sean op bezoek, of gaat ze werken om haar moeder het reisje naar Cornwall terug te kunnen betalen. Het is niets voor Ali om me zo buiten te sluiten. Zou ze er misschien niet tegen kunnen dat mijn moeder zo ziek is?

Het is ook geen pretje, hoor. De chemo begint nu echt aan te slaan en de bijwerkingen zijn verschrikkelijk. Ze heeft vaak last van zweren in haar mond, waardoor ze bijna niet kan eten. En ze is haast altijd misselijk. Ze valt af als een gek. 'Het lijkt wel of ik zwanger ben,' kreunt ze aan de ontbijttafel. 'Alleen krijg ik er nu geen schattig kindje voor terug.' Ze ziet er niet uit. Het beetje haar dat ze nog heeft staat alle kanten op. Al haar donkere haar is uitgevallen. Alleen de dunne grijze sprietjes zijn over en die mag ze niet kleuren zolang de behandeling duurt. Haar ogen zijn roodomrand en zien er ontstoken uit. Zelfs haar wimpers en wenkbrauwen beginnen uit te vallen, waardoor ze er hartstikke naakt en kwetsbaar uitziet. Ze lijkt helemaal niet meer op mama. Ik vind het vreselijk om haar zo te zien en papa ook. Dat merk ik aan alles. Hij doet zijn uiterste best om het haar zo makkelijk mogelijk te maken, maar ze krijgt de zenuwen van zijn goede zorgen. Alleen Carly lijkt het goed te kunnen doen. In Thailand heeft ze geleerd om te masseren. Urenlang masseert ze mama's gezicht, haar nek en haar rug, zodat ze zich wat beter kan ontspannen en zich wat lekkerder voelt.

Ik ben stinkend jaloers. Papa en ik lijken haar alleen maar te irriteren. Als ik dan eindelijk de moed bij elkaar raap om haar over het rockfestival te vertellen, gaat ze helemaal door het lint.

Carly heeft me goed bang gemaakt toen ze me waarschuwde, dus ik probeer het juiste moment uit te zoeken om het mama te vertellen. Ik weet heel goed dat ik wel wat moeite zal moeten doen om haar te overtuigen, maar ik weet zeker dat het uiteindelijk goed komt. Alles is tenslotte al geregeld en betaald. Als papa en Carly weg zijn, ga ik naast haar op de bank zitten, met een rol biscuitjes. Mama ligt naar een damestalkshow te kijken, iets wat ze voor haar ziekte nooit van haar leven had gedaan.

'Wanneer komt oma eigenlijk logeren?' vraag ik haar.

'Over een paar weken. Hè bah. Moet je me daar nou echt aan herinneren?'

'Ach, het wordt vast hartstikke leuk. Vooral nu jullie allebei naar die talkshows kijken.'

Ze geeft me een mep met een opgerold tijdschrift en pakt vervolgens een biscuitje. Samen snoepen we gezellig verder.

'Zal ik je voeten masseren?' vraag ik.

Ze giechelt. 'Kun je dat dan?'

'Ik kan het toch proberen?' Mama heeft mooie voeten, met roze nagellak op haar tenen. Voeten masseren is niet iets wat ik voor iedereen zou doen en al helemaal niet voor mijn vader, maar mama's voeten vind ik niet erg. Ik pak een handdoek, een teil en Carly's mandje met etherische oliën. Daarna ga ik naast haar zitten, op een stapel kussens.

'Pepermunt en rozemarijn?'

'Dat klinkt zalig. Maar niet te veel hoor.' Mama zakt achterover in de bank, terwijl ik een laagje neutrale olie in de teil giet. Daarna doe ik er een paar druppels van de andere olie bij, zoals ik Carly heb zien doen. Ik wrijf mijn handen in met de olie. Dan pak ik mama's voet en begin ik zachtjes te masseren.

'Hoe voelt dat?'

'Heerlijk,' zegt mama. Ze zit bijna te spinnen als een kat. 'Ik wist helemaal niet dat je dit kon, Jess.'

Ze laat zich lekker verwennen. Ik vind het bijna net zo fijn als zij. Ze wordt er helemaal rustig van.

'Je bent een schat, Jess,' zegt ze doezelig. 'Wat is dit een rotzomer voor jou, hè?'

'Dat geeft niet, hoor. Het is jouw schuld niet.'

'Jawel, hoor. Als ik geen kanker had gehad, hadden we lekker met z'n allen op vakantie gekund.'

Dit is mijn kans! Voorzichtig masseer ik de bal van haar voet. Ik haal eens diep adem.

'Ik zou wel op vakantie kunnen, mam. Met school.'

'O ja? Vertel eens?'

Terwijl ik haar blijf masseren vertel ik haar over de schoolreis en dat die bedoeld is om ons toneelstuk te verbeteren door middel van teambuilding. Ze wil precies weten wie het organiseert, wie er meegaat en hoe lang we weg zouden blijven. Dan komt die ene, langverwachte vraag die ik niet wilde horen.

'En waar gaat die teambuilding plaatsvinden?'

'In Cornwall.'

'In Cornwall! Wat een eind weg. Waarom nou Cornwall?'

'Daar is het Big Rock festival en daar...'

Voordat ik mijn zin kan afmaken schiet mama overeind.

'Het spijt me, Jess, maar dat gaat niet door.'
'Hè?'
'Je denkt toch zeker niet dat ik je in je eentje naar zo'n muziekfestival laat gaan? Je bent pas veertien!'
'Maar ik ga toch niet in m'n eentje? Ali gaat mee en Muggs en een heleboel andere mensen.'
'Dat bedoel ik! Daar kan alleen maar ellende van komen. Toe nou, Jess. Ik ben niet achterlijk, hoor. Ik weet precies wat daar allemaal gaat gebeuren, net zo goed als jij. Dat Cathy Taylor dit heeft georganiseerd, zeg! Hoe komt ze erbij!'
Ik masseer driftig verder. 'Het is al te laat, hoor. Papa heeft de formulieren ondertekend en het is ook al betaald, dus ik ga.'
'Hou daar nou eens mee op!' snauwt ze terwijl ze haar voet wegtrekt. 'Wát heeft je vader gedaan, zei je? Wat heeft hij hier allemaal zitten regelen terwijl ik weg was? Je gaat niet naar dat muziekfestival, Jess. Geen sprake van.'
Mama is woest. Haar besluit staat vast. Het lijkt wel of haar zere ogen uit haar hoofd ploppen van woede. Ik haat haar! Ik hoor de voordeur dichtslaan. Het is papa.
'Wat is hier in godsnaam aan de hand?' vraagt hij verbaasd. 'Ik kon jullie buiten horen gillen. Wat heb je uitgespookt, Jess?'
Hem haat ik ook.

Ik snap er geen barst van. Echt helemaal niets. Ik bedoel, ík ben degene die het het zwaarst te verduren heeft. Míj wordt verteld dat ik naar een muziekfestival mag en dan toch weer niet. Ik ben degene die de hele tijd voor mama zorgt, niet Carly die af en toe even over haar rug wrijft en de modeldochter uithangt. Ik ben degene die de familie een beetje bij elkaar probeert te houden, die eten voor haar vader maakt. Een vader die niet eens de moeite neemt om het op te komen eten omdat hij iets beters te doen heeft. Ik ben degene die haar vriendje nooit te zien krijgt en die nooit meer wat van haar beste vriendin hoort. En ik ben degene die op haar lazer krijgt omdat ik het opneem voor mevrouw Taylor.

We maken tot diep in de nacht ruzie. Als mama nee zegt dan bedoelt ze ook nee, dus ik weet heel goed dat ruziemaken geen zin heeft, maar ik vind het allemaal zó oneerlijk.

'Je kunt me toch niet tegenhouden! Papa heeft de formulieren al getekend!' hou ik vol.

'Zullen we wedden?' Mama kijkt papa boos aan. 'Ik kan er niet bij dat je hebt getekend zonder het er met míj over te hebben.'

Papa kijkt haar schuldbewust aan. 'Ik wilde je er niet mee lastigvallen.'

'Me lastigvallen? Met mijn eigen kind? Het is echt een bela-chelijk idee, Rob. Al die tieners bij elkaar, met al die muziek en die alcohol en God mag weten wat voor drugs.'
'Drugs en alcohol zijn verboden!' protesteer ik. 'Die worden niet toegestaan.'
'Niet toegestaan? Denk je nou echt dat iemand zich daar iets van aantrekt? Rob, hoe heb je nou toch ja kunnen zeggen? Zon, zee en een groep tieners bomvol hormonen. Wat denk je eigenlijk dat ze daar allemaal gaan doen? Jij zou toch beter moeten weten!'
Papa kijkt heel erg ongelukkig. Wat bedoelt ze daar eigenlijk mee? En waarom komt hij niet een keer voor zichzelf op?
'Maar iedereen gaat mee! Nu stel ik iedereen teleur!'
Mama kijkt me treurig aan. 'Het spijt me, Jess, maar ik kan je echt niet laten gaan. Je bent er gewoon te jong voor. Als er iets gebeurt vergeef ik het mezelf nooit.'
'Pap, zeg het dan! Het is niet eerlijk!'
'Wat moet hij me zeggen?'
'Papa zou zelf ook meegaan. Mevrouw Taylor heeft hem ge-vraagd of hij haar kon helpen.'
'Wat?' Mama kijkt hem wezenloos aan. 'Dat meen je niet. Dat is toch niet waar, Rob?'
'Nee. Natuurlijk ga ik niet meer mee,' zegt papa een beetje ongemakkelijk. 'Toen ik wist dat je chemo zou krijgen heb ik tegen Cathy gezegd dat ik niet mee zou gaan.'
'Maar in eerste instantie vond je het dus wel een goed idee? Hoe kom je daar nou bij, Rob? Hoe kon Cathy Taylor zoiets stoms verzinnen?'
'Ze is anders een heel goede lerares, hoor. Ze heeft zulke gave ideeën! Toe nou, pap. Je was het er toch helemaal mee eens?'

Papa haalt zijn handen door zijn haar, maar hij houdt zijn mond. Waarom komt hij niet voor mevrouw Taylor op? 'Ze heeft zich echt veel te veel op haar hals gehaald met dit reisje. Het gaat hartstikke fout, let maar op. Zo'n heel stel hormonale pubers! Die lopen de hele nacht de tent bij elkaar plat.'

Zoals zij het zegt klinkt het allemaal heel ordinair, helemaal niet meer spannend en origineel en leuk.

'Ik kan wel merken dat zij niet zo'n viezerik is als jij! We gaan het toneelstuk oefenen, hoor. Het is geen orgie!'

Ik klink als een kind van tien, maar ik kan het niet helpen, zo woest ben ik. 'De anderen mogen allemaal wel. Het is niet eerlijk!'

'De anderen zijn ook allemaal ouder dan jij.'

'Ali niet. Die is net zo oud als ik en zij mag wel!'

'Wat een verrassing,' zegt mijn moeder spottend. 'Jess, ik heb er verder niets meer over te zeggen. Je gaat niet en daarmee uit. Nu ga ik naar bed. Ik ben gesloopt.'

'Maar...'

'Stil, Jess,' zegt papa waarschuwend. 'Je moeder is doodmoe.' Geweldig. Nou is het mijn schuld dat mama zich niet lekker voelt. Ik weet niet aan wie ik op dit moment een grotere hekel heb: aan haar omdat ze zo'n gemeen kreng is, of aan hem omdat hij zo'n slappe zak is.

Als Carly thuiskomt wordt het er niet beter op. Ik lig in bed naar The Darkness te luisteren. Die heb ik keihard opgezet. Pech voor mama als ze niet kan slapen. Beneden hoor ik Carly met papa praten. Als ze boven komt, steekt ze haar hoofd even om de hoek. 'Pech, Jess. Maar ik had je gewaarschuwd, hè.' Lekkere troost.

Ik zeg niets terug. Ik kán niets terugzeggen, uit angst dat ik in janken uitbarst. Als de rest van de cast van Macbeth erachter komt sta ik gigantisch voor paal. Ik zie Kelly al helemaal voor me. 'Ach, Jess mag niet mee van haar mammie... wat zíélig!' En hoe moeten ze nou fatsoenlijk oefenen zonder hoofdrolspeelster? Gefrustreerd stomp ik mijn kussen in elkaar. Ik doe net of het Kelly is, of mama, papa of Carly en iedereen die het verder nog op mij voorzien heeft. De hele nacht lig ik te woelen.

Muggs is er helemaal kapot van als hij het hoort. Hij staat meteen voor de deur. Mama is naar Gail toe. Zeker aantekeningen over de chemo uitwisselen. Lekker gezellig. Papa en Carly zijn ook ergens naartoe. We hebben het hele huis voor onszelf.

Hij gaat op de rand van mijn bed zitten en luistert geduldig naar mijn geraas en getier over mijn vreselijke ouders. Als ik klaar ben kijkt hij me even aan. 'Ik ga ook niet mee. Zonder jou is er niets aan.'

Eerlijk gezegd voel ik me gevleid.

'Doe niet zo gek,' zeg ik groothartig. 'Dat heeft toch helemaal geen zin? Bovendien hebben de heksen dan nog meer voer om te roddelen.'

'O ja, daar wilde ik het nog met je over hebben. Wat is er met Ali aan de hand?'

'Hoezo?'

'Ik zie haar zo vaak met Kelly en Jade rondhangen. In het winkelcentrum en zo.'

'Niet te geloven! Mijn ouders verpesten mijn leven, mijn zus steunt me ook niet en nu laat mijn beste vriendin me ook nog in de steek!' Ik voel me echt diep gekwetst.

'Je hebt mij toch nog?' Zachtjes strijkt Muggs een lok haar achter mijn oor.

'Da's waar.' Ik sla mijn armen om zijn nek. Dan geeft hij me een zoen.

'Wat ben je toch mooi,' zegt hij. Ik lach naar hem. Gelukkig maar. Is er toch nog íémand die van me houdt. Hij geeft me weer een zoen, heel langzaam en zacht. Ik laat me dicht tegen hem aan glijden.

Ik voel me veilig.

Ik voel me bemind.

Ik voel zijn hand onder mijn T-shirt naar mijn borst glijden. Voor ik het weet heb ik hem op de grond geduwd. Daar zit hij me verbaasd aan te kijken. Ik wist niet dat ik zo sterk was.

'Waar slaat dat nou op?' vraagt hij, terwijl hij met een gepijnigd gezicht overeind krabbelt.

'Dat moet je niet doen...'

'O, sorry hoor. Ik dacht dat je me leuk vond.'

'Dat is ook zo.' Ik kijk hem even aarzelend aan, maar wend me dan weer af. Hij ziet er verward uit en ik schaam me rot.

'Het komt door mijn moeder.'

Even blijft het stil. Dan kijkt hij me geschrokken aan. 'O, Jess, wat stom van me. Het spijt me...'

Ik kijk hem niet-begrijpend aan. Opeens begint het te dagen: hij denkt natuurlijk dat ik het vervelend vind als hij aan mijn borsten komt nu mijn moeder borstkanker heeft.

'Daar gaat het niet om.'

'Waar gaat het dan wel om?' Hij snapt er niets van.

Ik voel me zo stom. Daarom sta ik op en ga ik mijn haar staan borstelen, met korte, harde halen.

'Het gaat om mijn moeder zelf. Op deze manier bevestigen we toch alleen maar wat ze denkt? Hoe noemde ze het ook alweer? "Tieners bomvol hormonen?" Moet je ons nou zien. We zijn even alleen thuis en we zijn meteen bezig.'

'Hoe kom je daar nou bij? Het gaat bij ons toch zeker niet alleen om dat soort dingen? Als dat wél zo was had ik je al eeuwen gedumpt.'

'Goh, dank je wel,' zeg ik gekwetst. 'Dan ben ik zeker wel een grote teleurstelling voor je, hè?' Plotseling herinner ik me de woorden van Ali weer. *Hij gaat echt niet op je zitten wachten hoor.*

'Doe even normaal, Jess, dat zei ik helemaal niet.'

Muggs is echt heel boos. Ik heb hem nog nooit boos gezien. Ik weet heus wel dat hij gelijk heeft, maar ik kan niet meer ophouden.

'O nee? Ik dacht het wel. Nou, als je zo graag seks wilt, dan moet je je maar bij Kelly Harris melden. Die wil je daar vast bij helpen!'

Ik weet echt niet wat me opeens mankeert. Wat ik zeg slaat natuurlijk helemaal nergens op, maar het lijkt wel of ik bezeten ben. Even kijkt Muggs me aan. Dan draait hij zich om en loopt naar de deur.

'Je moet geen spelletjes met me spelen, Jess. Ik bel je nog wel.'

Dan slaat hij de deur achter zich dicht, mij alleen achterlatend.

Ken je dat gevoel? Dat het allemaal onmogelijk nóg erger kan worden? Nou, blijkbaar kan dat dus wel. Als Muggs wegloopt ben ik heel boos. Echt heel erg boos. Maar na een tijdje begin ik me schuldig te voelen. Eerlijk gezegd heb ik wel een beetje het gevoel dat ik hem aan het lijntje hou. Dat ik hem verleid en hem vervolgens niet verder laat gaan. En hij is nog wel zo lief en begrijpend. Kon ik maar even met Ali praten...
Midden in de nacht krijg ik opeens een sms'je. Waarom opeens zo alleen. Wat haalt u sombere beelden in het hoofd?
Ik schrijf direct terug: Hé! Dat is mijn tekst. Het spijt me trouwens.
Zijn antwoord laat niet lang op zich wachten. Nee, het spijt mij. Ik had het beter moeten aanvoelen.
Ik schrijf terug: Ja, dat kun je wel zeggen!

We hebben onze eerste echte ruzie overleefd. Om het goed te maken neemt hij me mee naar de Chinees. Onder het eten praten we alleen maar. Van nu af aan gaan we onze gevoelens met elkaar delen.
'Het is niet dat ik je niet leuk vind hoor,' leg ik uit. 'Maar het

gaat' nu allemaal ineens zo snel en ik denk dat we het beter even wat rustiger aan kunnen doen. In ieder geval tot na de proefwerkweek en de uitvoering.'

'Begrijp ik helemaal,' zegt hij, terwijl hij mijn hand in de zijne neemt. Hij draait hem om en streelt mijn liefdeslijn. 'Je hebt al genoeg aan je hoofd, met je moeder en zo. En bovendien...' Hij maakt zijn zin niet af.

'Wat?'

'Niks.'

'Kom op! Ik dacht dat we geen geheimen meer voor elkaar zouden hebben?'

'Nou...' Hij glimlacht zijn scheve lachje naar me. 'Ik ben geïnteresseerd in je koppie, niet in je lichaam. Ik ben verder helemaal niet verliefd op je, of zo.'

'Bruut.' Ik gooi de menukaart naar zijn hoofd. Muggs duikt net op tijd weg, waardoor de kaart tegen zijn achterbuurman aan keilt. Ik bied uitgebreid mijn excuses aan.

Muggs vindt het zo erg dat ik niet mee mag naar Big Rock. 'Ik heb het gisteravond aan Ali verteld. Die was samen met Sean in de Star Bar.'

'Ha! Ze moest zeker hard lachen toen ze het hoorde?' Snel neem ik een slokje van de bubbeltjeswijn die Muggs heeft besteld. We hebben tenslotte iets te vieren.

Ik weet maar niet wat ik moet bestellen. Ik twijfel tussen garnalen met cashewnoten en biefstuk in sojasaus. Vegetariërs hebben het toch maar makkelijk.

'Ik ben nog steeds boos dat ze zoveel met Kelly en Jade omgaat.'

'Ze vond het anders echt heel erg voor je. Ze zou je nog bellen.'

'Hmm.' Ik ben stiekem best blij, want ik heb Ali ontzettend gemist. Vreemd, dat je je eigen schaduw gaat missen. Ik moet lachen als ik denk aan Ali, vastgeklonken aan mijn enkels, als mijn schaduw. Een lawaaierige versie van mezelf. Ik moet zo hard lachen dat de bubbels mijn neus uit komen. Proestend en kuchend probeer ik weer op adem te komen. Ik maak zo veel herrie dat de mevrouw die bij de balie op haar afhaalmaaltijd staat te wachten zich omdraait om te kijken wat er aan de hand is. Ze heeft lange, rode krullen die aan alle kanten uit haar haarklem steken. Ze zwaait naar ons.

'Kijk, daar is mevrouw Taylor.'

Muggs draait zich om.

'O nee, hè. Ze komt hiernaartoe. Nou moet ik haar vertellen dat ik niet meega naar Cornwall.'

'Hoi hoi. Hebben jullie iets te vieren?' Ze heeft haar groene laarzen aan en een gestreepte legging, met daarboven een wollig oranje vest dat ontzettend vloekt met haar haren. Daar ik zou ik nog niet eens in begraven willen worden, maar haar staat het geweldig.

'Dit is bij wijze van goedmakertje, vanwege onze eerste ruzie,' legt Muggs grijnzend uit.

'O ja. Het leukste van een relatie,' reageert ze lachend. 'Het goedmaken.'

'Ik heb helaas slecht nieuws, mevrouw Taylor,' zeg ik dan.

'O ja. Jammer dat je niet meegaat naar Cornwall, Jess.'

'Hoe weet u dat nou?' Verbaasd staar ik haar aan. Ze loopt helemaal rood aan.

'Je vader heeft me gebeld om het te vertellen. Maar je hoeft je geen zorgen te maken, hoor. Ik weet zo ook wel dat je je tekst uit je hoofd kent. Bovendien voel je Lady M goed aan. Ik maak me meer zorgen om een paar anderen uit de groep. De heksen bijvoorbeeld. En Lennox.'

Ze kletst maar door, als een kip zonder kop. Het lijkt wel of ze zich betrapt voelt. Eigenlijk zou ík me juist gegeneerd moeten voelen met die hele fles champagne voor mijn snufferd, maar het lijkt haar niet eens op te vallen.

'En misschien gaat het reisje wel helemaal niet door.'

'Wat? Waarom niet?' Ik geloof mijn eigen oren niet.

Ze kijkt een beetje ongemakkelijk. 'Nu je vader niet meegaat moeten we een andere leraar zien te vinden die mee wil.'

'Ja, en?'

Ze lacht spottend. 'Geloof het of niet, maar er zijn weinig leraren die een hele week van hun vakantie willen opofferen om met een buslading tieners naar een of ander rockfestival te gaan.'

'Dus het gaat misschien niet door?' vraagt Muggs nu ook. Arme ziel. Hij doet erg zijn best om niet teleurgesteld te kijken.

'Nee. Ik zal kijken wat ik kan doen.' Mevrouw Taylor ziet er net zo verslagen uit als Muggs. 'Ik geloof dat mijn eten klaar is,' zegt ze dan. 'Ik ga maar weer.'

Voordat ze met haar eten naar buiten loopt roept ze nog iets naar me. 'Hoe is het met je moeder, Jess?'

'Niet zo goed,' zeg ik kortaf. Ik heb het mama nog steeds niet vergeven dat ik niet mee mag naar Big Rock.

'Zeg maar dat ik binnenkort een keer langskom. Ik heb nog wat boeken voor haar.' Ze knipoogt naar me. Met opgetrokken wenkbrauwen kijk ik naar Muggs. Leraren!

Een paar dagen later belt Ali.

'Ik vind het echt heel erg dat je niet meegaat naar Cornwall,' zegt ze. Ze meent het oprecht, dat hoor ik meteen.

'Waarom ontloop je me steeds?' vraag ik, zonder omhaal.

'Ik heb je niet... Nou ja... Sorry. Je hebt gelijk,' geeft ze dan toe.

'Waarom dan?'

'Dat ligt een beetje moeilijk... het ligt niet aan jou, hoor. Laat ook maar.'

Ik sla mijn ogen ten hemel. 'Kom je zo langs? Ik heb je gemist.'

Even blijft het stil aan de andere kant van de lijn. 'Is je vader thuis?'

'Hè? Nee. Alleen mama en ik. Hoezo?'

'Niks. Ik kom eraan.'

Wat is het toch een vreemd kind. Vijf minuten later gaat de deurbel. Even later hoor ik stemmen: mama die met Ali praat. Het lijkt zelfs wel of mama het leuk vindt om Ali te zien.

'Hoi, Ali. We hebben je gemist, joh. Hoe is het met je?'

'Prima hoor. Ik moest de groeten van mijn moeder doen. Ze wil graag nog een keer langskomen, maar ze zou u eerst bellen'

'Dat lijkt me gezellig, Ali.' Alweer klinkt mama echt blij, ook al gaat het om de gepiercete Debbie. 'Loop maar door naar boven. Jess zit al op je te wachten.'

Ik hoor Ali de trap op denderen en dan verschijnt ze met een brede grijns in de deuropening.

'Ben ik hier nog wel welkom?'

'Wat denk je zelf?'

'Mooi. Ik heb namelijk een heel nieuwe waxset meegenomen. Om onze gezichtsbeharing mee te lijf te gaan.' Met die woorden haalt ze een blauw, plastic make-updoosje tevoorschijn.

'Welke gezichtsbeharing?'

'Op je bovenlip, schat. Iedere vrouw krijgt op een gegeven moment last van de weerwolflook.'

Giechelend laten we ons op mijn bed vallen. Wat is het toch heerlijk dat Ali er weer is.

Mama klopt op de deur. 'Willen jullie koffie? Wat zijn jullie aan het doen?'

'Graag, mevrouw Bayliss. We zijn een beetje aan het pedicuren.'

'Je hebt niet toevallig een wondermiddeltje in dat doosje om de haargroei te bevorderen, hè?'

We proberen onze lach te onderdrukken, maar zodra mama de kamer uit is schieten we onbedaarlijk in de lach.

'Eigenlijk is het niet eerlijk. Wij proberen ons haar kwijt te raken, terwijl mama haar uiterste best doet om nog een paar plukjes over te houden.'

'Ik bewonder je moeder wel, hoor,' zegt Ali als ze een beetje uitgelachen is. Ze tovert wat tubetjes tevoorschijn.

'Daar zou je denk ik heel anders over denken als ze jou had verboden om op de leukste schoolreis ooit te gaan.'

'Nee, dat is inderdaad niet erg aardig,' vindt ook Ali. 'Maar je moet niet vergeten dat ze die afgrijselijke chemotherapie krijgt en dat ze daar heel dapper mee omgaat. Mijn moeder vindt haar echt geweldig.'

Daar zit wel wat in. De rest van de middag proberen we onze gezichtsbeharing onder controle te krijgen. Misschien is het wel helemaal niet zo'n gek idee van Ali. Ik heb best een beetje haar op mijn bovenlip. Dat komt natuurlijk omdat ik zulk donker haar heb.

'Dat is de latinolook, meid,' zegt Ali, terwijl ze de strip van mijn bovenlip rukt. Ik gil het uit.

Het voelt alsof mijn huid er compleet af ligt, maar het enige wat er aan de pleister plakt is wat dons.

'Nu is het mijn beurt,' zeg ik bot. Maar eerlijk is eerlijk: ze laat me mijn gang gaan, ook al is er geen haar op haar bovenlip te bekennen. Even spelen we met de gedachte om ook onze wenkbrauwen te doen, maar als we denken aan de wenkbrauwen van mijn moeder – die sinds de chemo zo goed als kaal zijn – zien we er maar van af. In plaats daarvan lakken we onze teennagels. Voor het geval mama naar onze gepedicuurde voeten vraagt.

Ali legt uit dat ze alleen met Kelly en Jade omging om haar tekst te oefenen.

'In het winkelcentrum?' vraag ik sarcastisch.

'We konden nergens anders heen. We wonen allemaal te ver van elkaar om ergens thuis af te spreken. Ik mag ze helemaal niet, Jess. Kelly gebruikt me alleen om informatie over jou en Muggs te krijgen. Ze heeft het echt op hem voorzien. Als ik jou was zou ik maar uitkijken.'

'Nou ja, ze maakt geen schijn van kans, hoor.' Sinds onze eerste ruzie voel ik me helemaal zeker bij Muggs. Hoewel ik daarvóór ook nooit een reden heb gehad om aan hem te twijfelen. 'Het gaat zo goed tussen ons. Beter dan ooit.'

'Bofkont,' zegt Ali sip.

'Hoezo? Hoe gaat het met Sean?'

'Nou ja... je weet wel.' Ze haalt haar schouders op. 'Ik heb nog nooit zo'n lange relatie gehad. Maar het is niet zoals met jou en Muggs.'

'Je moet het gewoon even de kans geven.' Ondertussen dep ik de nagellak op die op mijn sprei dreigt te druipen. 'Gooi die handdoek eens, Ali.'

Ali grijpt naar de handdoek. Ze kijkt even door het raam naar buiten.

'Nee, hè! Wat moet zíj nou hier?' zegt ze opeens. Ze staat op en staart naar buiten. Ook ik sta op. Mevrouw Taylor loopt naar ons huis toe, met een stapel boeken in haar armen. Haar groene laarzen klikken op de stoep.

'Ze zou nog een keer bij mama langsgaan.'

'Verdikkeme,' mompelt Ali.

'Ali! Wat heb jij nou ineens? Ik dacht dat je haar zo aardig vond.' Verbaasd kijk ik haar aan.

'Dat heb je dan verkeerd gedacht.' We horen mama de voordeur opendoen. Ze wijst mevrouw Taylor de weg naar de keuken. Daarna volgt een lang gesprek. Eigenlijk wil ik Ali vragen waarom ze mevrouw Taylor opeens niet meer moet, maar ik zie al aan haar gezicht dat ze geen antwoord gaat geven.

Dan roept mama weer naar boven. 'Lusten jullie nog koffie?'

'Ik kom eraan!' roep ik terug. 'Kom, dan gaan we naar beneden,' zeg ik tegen Ali.

'Nee. Ik moet ervandoor.' Ze raapt haar spullen bij elkaar. 'Heb je trouwens gehoord dat de schoolreis misschien helemaal niet doorgaat?'

'Nee! Waarom niet?'

'Als er geen tweede leraar bij is, dan kan het niet.'

'O. Nou ja. Het kan mij niet schelen,' zegt Ali. 'Zonder jou is er toch niets aan.'

Aah. Wat is het toch fijn om Ali weer terug te hebben.

Als we beneden komen zijn papa en Carly ook weer thuis. Ze hebben spullen voor Carly's nieuwe studiejaar gekocht: een dekbed, een waterkoker, een broodrooster en allemaal schrijfgerei. Carly pakt alles uit om het aan mama te laten zien.

Nu heb ik toch echt wel medelijden met mama. Anders zou zij juist met Carly door het winkelcentrum hebben gerend om al die spullen te kopen, maar dat zou ze nu helemaal niet kunnen. Het is er veel te druk en ze kan er niet tegen dat er steeds mensen aan haar vragen hoe het nu met haar gaat.

Ali probeert ongemerkt weg te sluipen, maar mama heeft haar in de smiezen. Ze vraagt haar om naar Carly's spulletjes te komen kijken.

'Straks ben jij aan de beurt, Ali,' zegt papa. 'Dan ga jij ook naar de universiteit.'

Zijn stem klinkt veel te hard en hij lijkt het ook helemaal niet te menen. Kan ook niet, want het duurt nog jaren voordat Ali gaat studeren. Als ze al gaat studeren, wat nog maar zeer de vraag is. Ali kijkt me aan en rolt met haar ogen.

Papa geeft mevrouw Taylor een beker koffie. Ze glimlacht even naar hem. Dan wordt het stil. Veel te stil. Mevrouw Taylor probeert het gesprek weer op gang te krijgen.

'Heb je zin om naar Cornwall te gaan, Ali?' Ze klinkt overdreven vriendelijk.

'Niet echt, nee. Ik vind er niets aan zonder Jess.'

Wat is Ali toch een schat.

Mama is zo lief om schuldig te kijken. Mevrouw Taylor kijkt alsof ze het liefst door de grond zou zakken.

'Gaat de reis dan nog wel door?' vraagt Ali. 'Ik dacht dat u nog op zoek was naar een tweede leraar.'

'Dat is ook zo,' antwoordt mevrouw Taylor gretig, alsof ze iets goed te maken heeft met Ali. 'Maar ik heb het er nog eens met mevrouw Bayliss over gehad. Zij vindt dat meneer Bayliss zich aan zijn afspraak moet houden en dat hij gewoon mee moet gaan.'

'Dus ik mag tóch mee!' roep ik, helemaal happy. 'Wauw! Dank je wel, mam!'

'Nee, Jess. Jij mag natuurlijk nog steeds niet mee. Dat is iets heel anders.'

'Wát?' Ik geloof mijn eigen oren niet. 'Dus papa mag wel mee en ik niet? Dat meen je niet!' Hoe is dit nou mogelijk? Ik ga door het lint van woede. Ik doe mijn mond open. Dit keer zal ik eens even tegen mijn moeder zeggen wat ik precies van haar vind.

'VUIL KRENG!'

Dit zijn niet mijn woorden. En ze zijn niet gericht aan mijn moeder.

Ze komen van Ali. En ze heeft het tegen mevrouw Taylor. Die ziet opeens lijkbleek.

Iedereen staat geschokt te kijken. Zelfs ik, ook al waren dat precies de woorden die ik mama naar haar hoofd had willen slingeren. Ik vind het heus fijn dat Ali het zo voor me opneemt hoor, maar waarom richt ze haar woede op mevrouw Taylor? De beste en leukste lerares van de hele school! Het is mama's schuld dat ik niet naar het muziekfestival mag, niet die van haar.

Het rare is alleen dat mevrouw Taylor het helemaal niet zo erg lijkt te vinden dat Ali haar net heeft uitgemaakt voor vuil kreng. Het lijkt wel of ze... zich schaamt. En Ali is nog niet klaar. Ze staat te trillen van woede.

'Dat heb je lekker geregeld, hè? Heb jij lekker je zin! Hoe durf je! Jullie allebei!'

Nu kijkt ze ook mijn vader aan. Hij haalt zijn hand door zijn haar, maar kijkt haar niet aan.

'Ik vond jullie allebei nog wel zo aardig! Ik had echt respect voor jullie. Hoe haal je het in je kop!'

'Je hebt het mis, Ali,' probeert mijn vader. Hij legt zijn hand op haar arm, maar ze schudt hem van zich af.

'Ik heb jullie toch zelf gezien!' gilt ze. 'In het toneellokaal, weten jullie nog?'

Mevrouw Taylor hapt naar adem terwijl ze naar mijn moeder kijkt. Mama staat daar maar, zo stil als het graf, met die zielige plukjes haar op haar hoofd. Carly loopt naar haar toe en legt haar arm om haar schouders. Ze is met stomheid geslagen.

'Wat is hier precies aan de hand?' vraag ik dan.

'Het is niet wat je denkt,' zegt papa. 'Ali, ga jij maar naar huis.'

'Ik denk anders helemaal niets. Ik snap het niet!' schreeuw ik. 'Wat is er gebeurd, Ali?'

Ali staat er heel stil bij. De tranen lopen over haar wangen. Opeens snap ik waarom ze me de laatste tijd heeft ontlopen. Alles begint nu op zijn plaats te vallen. Papa die de hele tijd maar om mevrouw Taylor heen dartelt, die met het toneelstuk helpt. Al die telefoontjes midden in de nacht. Zijn plotselinge obsessie met het lesrooster. Die nacht dat papa pas vroeg in de ochtend thuiskwam toen mama in het ziekenhuis lag.

'Zeg er maar niets over tegen je moeder...'
Ons geheimpje. Als jij niets zegt, zeg ik ook niets. Knipoog.
'Hoe kon je, Jess? Uitgerekend nu.'
Wat een hypocriet!
Ali wist het de hele tijd. Daarom deed ze zo vreemd tegen
me. Daarom wilde ze niet meer bij me langskomen. En ik
maar denken dat ze mij niet meer moest.
Maar nee. Ze moest mijn vader niet meer.
Het is toch allemaal te gek om over te praten?
Papa heeft een verhouding met mevrouw Taylor.

Toen ik klein was, was ik van twee dingen vast overtuigd:

1. Mijn moeder weet alles;
2. Mijn vader kan al het nare goedmaken.

Om heel eerlijk te zijn denk ik dat mijn mening in de loop der jaren nauwelijks is veranderd. Niet helemaal terecht, blijkt nu. Want mama had geen flauw idee wat er gaande was en papa heeft een heleboel goede dingen naar gemaakt. Is dit nu wat ze verstaan onder volwassen worden? Carly neemt het heft in handen. Mama staat alleen maar verbijsterd naar mijn vader te kijken. Papa kijkt naar de grond, alsof hij daar naar een vluchtweg zoekt. Mevrouw Taylor staat te fluisteren. 'Het spijt me, het spijt me zo...' Ali staat erbij alsof ze helemaal leeg is; als een ballon waar alle lucht uit is gelopen. Hoewel Ali's ballon eerder keihard is geknapt. De tranen stromen over haar wangen. Ze legt haar hand even op mijn arm.
'Jess?'
'Rot op!' Ik schud haar hand weg.
'Ga jij maar, Ali,' zegt Carly. Ali mompelt iets wat klinkt als 'Het is mijn schuld niet'. Dan is ze weg.

'U ook.' Het oranje vest van de lerares hangt onder aan de trap. Carly duwt het in haar handen. Mevrouw Taylor werpt nog een gepijnigde blik in de richting van mijn vader, maar die staat nog steeds de keukenvloer te bestuderen. Ze draait zich om, maar krijgt de deur niet open. Carly helpt haar en houdt de deur voor haar open.

'Bedankt.' Het klinkt helemaal verkeerd.

De deur valt dicht.

'Bedankt.' Mama herhaalt de woorden van mevrouw Taylor. Ze laat zich op een stoel vallen. 'O, Rob, wat heb je nou gedaan?'

Er klinkt een schor rotgeluid. En nog een keer. Het is papa. Hij staat te huilen. Ik heb papa nog nooit zien huilen, zelfs niet op de begrafenis van oma.

Ik kan er niet tegen. 'Mama! Papa!' huil ik.

Carly loopt naar me toe en slaat haar armen om me heen. 'Kom op, meid,' zegt ze. 'We laten ze alleen.'

Ik zou jullie het liefst willen vertellen dat het geruzie de hele nacht doorging en dat ik de volgende ochtend mijn ouders in een liefdevolle omhelzing terugvond op de bank. Dat mijn moeder me vertelde dat hun relatie nu sterker was dan ooit.

Of nee, ik wil kunnen vertellen dat het 's ochtends allemaal een vreselijke nachtmerrie bleek, net zoals ik die vroeger wel eens had toen ik nog klein was. Dan sprong ik altijd snel uit bed en kroop ik heel dicht tegen mijn moeder aan, terwijl papa de monsters uit mijn kamer joeg.

Ik wil nu ook tussen mama en papa in kruipen, waar het warm en veilig is en waar het ongeluk me niet kan achtervolgen. We hebben onderhand wel genoeg ongeluk gehad. Maar papa is met mevrouw Taylor naar bed geweest. Ik kan het gewoon nog niet bevatten. In werkelijkheid is er helemaal geen ruzie. Dat is het vreemde. Er wordt wel heel wat af gepraat, want iedere keer als ik wakker word hoor ik hun stemmen, maar de volgende ochtend brengt hij haar gewoon weer naar chemotherapie. Als ze thuiskomen ziet mama lijkbleek, maar dat ziet ze altijd na de chemo. Ze gaat meteen naar bed. Papa brengt haar een kop soep.

's Avonds komt ze naar beneden om televisie te kijken. Ze ziet er verschrikkelijk uit.

'Gaat het wel, mam?'

'Je moet je moeder niet zo lastigvallen, Jess,' zegt papa. 'Ze voelt zich niet lekker.'

Ik kijk hem vuil aan. 'Goh. Hoe zou dat nou komen?'

'Het gaat best, Jess,' zegt mama. 'Maak je nou maar geen zorgen. Die chemo werkt heus. Ik ben al op de helft.'

Ze heeft donkere kringen onder haar ogen. Ik heb een hekel aan mijn vader.

Tegelijkertijd ben ik als de dood dat ik hem kwijtraak. Ik ben bang dat hij hier op een goede dag weggaat en rechtstreeks naar mevrouw Taylor loopt, om daar een eigen liefdesnestje te bouwen. Dan krijgen ze samen kinderen en dan ben ik vergeten.

Shit.

Hoe heeft dit toch allemaal kunnen gebeuren? Wat is er met die saaie familie Bayliss gebeurd? Ik zou er alles voor over-hebben om mijn moeder weer aan mijn kop te hebben zeu-ren over gezond eten en mijn vader weer te horen klagen over mijn veel te korte rokje. Maar nee hoor. Mijn supergezonde moeder kotst zich een ongeluk door de chemotherapie en mijn fatsoenlijke vader doet het met mijn lerares Engels. Ik vertel het niet eens aan Muggs. En wel om de volgende redenen:

1. Muggs vindt mijn vader fantastisch en dat wil ik graag zo houden;
2. Ik schaam me ervoor;
3. Als ik er niet over praat gaat het vanzelf over.

En zo verstrijken de dagen. Er verandert niets bij ons thuis: niemand zegt iets over de situatie. Ik ben te bang om ook maar iemand te vragen hoe het ermee gaat. Ik durf het er zelfs niet met Carly over te hebben, voor het geval ik het ongeluk weer over de familie afroep, zoals ik dat al doe sinds ik de rol van Lady Macbeth speel.

Op een dag komt Carly mijn kamer binnen om met me te praten. Ik lig begraven onder mijn dekbed. Carly laat zich naast me neervallen.

'Misschien is het allemaal niet zo erg als we denken.'

Ik til mijn hoofd niet op. Mijn stem wordt gedempt door de deken. 'O. Jij vindt het wel oké dat papa het met mijn lerares doet?'

'Dat bedoel ik nou juist, muts. We weten toch helemaal niet echt of hij het met haar doet?'

'Nee, je hebt gelijk. Misschien hebben ze al die tijd alleen maar rapportcijfers besproken, of aanpassingen voor *Macbeth*,' zeg ik sarcastisch.

'Kijk me eens aan.'

Kreunend kom ik onder de deken vandaan. Ik laat me tegen het hoofdeind aan zakken.

Carly ziet er even beroerd uit als ik me voel.

'Wat?'

'We weten toch niet zeker of dit een echte verhouding is? Ik bedoel, misschien waren ze alleen maar een beetje aan het zoenen toen Ali binnenkwam. Denk daar maar eens over na.'

Papa die mevrouw Taylor zoent? Gatver! Waarom zou ik daar in vredesnaam over willen nadenken?

'Zout nou maar op, Carly. Ik wil er niet over praten.'

'Oké. Maar je moet het wel een beetje nuchter bekijken, Jess. We doen allemaal wel eens iets stoms. Misschien heeft ze hem wel verleid. Misschien is hij in de penopauze. Misschien probeert ze op deze manier promotie te maken! Wie weet hoe het zit? Het enige wat we zeker weten is dat Ali hen heeft betrapt terwijl ze aan het zoenen waren. En wat dan nog? Dat is toch niet zo heel erg?'

Ik wil haar echt heel graag geloven. Daarom probeer ik al die aanwijzingen maar te vergeten; van papa die zo laat thuiskomt, papa die tot diep in de nacht aan de telefoon zit, papa die op school aan het rooster hoort te werken terwijl hij ergens anders is. 'Het zal wel,' zeg ik met een stem alsof ik het hele onderwerp een beetje oninteressant begin te vinden. Dan doe ik net of ik ga slapen, tot ergernis van Carly.

Natuurlijk ben ik vanbinnen doodsbang. Het lijkt misschien of het leven weer gewoon zijn gangetje gaat (wat 'gewoon zijn gangetje' dan ook mag betekenen), maar ik kan niet vergeten hoe papa in de keuken stond te huilen en hoe mevrouw Taylor steeds maar 'het spijt me' zei.

Het lijkt wel of we allemaal bang voor elkaar zijn, bang dat het hele gezin uit elkaar valt als een van ons iets verkeerds zegt. We doen poeslief tegen elkaar: ik ben lief voor mama, Carly heeft voor iedereen begrip, papa is stil en verdrietig en mama is... stil en ziek. Ik word er compleet gestoord van. Het is een enorme opluchting als oma komt logeren. Mama heeft nog geprobeerd haar tegen te houden, maar daar wilde oma niet van horen. Haar aankomst verloopt luidruchtig en rommelig. Ze komt met de taxi, omdat ze een trein eerder heeft genomen dan gepland. Papa staat nog op het station te wachten.

'Dames, ik kom me hier nuttig maken,' zegt ze terwijl ze uit de taxi stapt, met onder haar arm een vissenkom met inhoud, die gevaarlijk scheef hangt. Onder haar andere arm heeft ze een paar handtassen geklemd en er hangt een sigaret uit haar mond. 'Zolang ik hier ben hoef je helemaal niets te doen. Betaal jij de taxichauffeur even, Diane? Ik kan niet bij mijn portemonnee. Nemen jullie die mee, meiden?'

Ze wijst met haar elleboog in de richting van de koffers die de taxichauffeur net uit de kofferbak haalt. Er valt as midden in de vissenkom. De vis zoekt zijn toevlucht aan de andere kant van zijn onderkomen.

'Wat moet u met die goudvis, oma?' vraagt Carly, die haar omhelst en tegelijkertijd probeert de roodgestifte lippen van oma te ontwijken.

'Mijn buren zitten op de Malediven. Ik kon dat arme beest moeilijk alleen laten, vooral omdat ik niet weet hoe lang ik wegblijf.'

Ze loopt naar binnen, zonder ook maar even haar mond te houden. Als we de getergde blik van mama zien, beginnen Carly en ik te giechelen. 'God behoede me voor mijn moeder,' zegt mama en dan schateren Carly en ik het allebei uit. Het is heerlijk om oma in huis te hebben. Opeens heeft ons leven weer wat meer weg van een komedie dan van een Shakespeareaanse tragedie. Ze staat erop om ons te helpen waar ze kan. Ze gaat koken, poetsen, boodschappen doen en wassen en dat allemaal terwijl ze ook haar enige dochter wil verplegen tot die weer helemaal gezond is. Van Jamie Oliver heeft oma nog nooit gehoord. Zij kookt nog zoals men dat voor de oorlog deed. Met als gevolg dat we opeens gebakken eieren geserveerd krijgen en braadstuk, karamelpudding en taart, en wat nog het allerlekkerst is: witbrood met boter, iets wat we al jaren niet eens meer in huis hebben gehad. Oma is ervan overtuigd dat 'goed eten' alle ziekten geneest. Als mama zwakjes protesteert dat ze vegetariër is, geen melkproducten eet en alleen fruit en groenten probeert te nuttigen, kijkt oma haar even aan. 'Wat fijn voor je, schat,' zegt ze dan, om mama vervolgens borden vol runderpasteitjes en appeltaart met slagroom voor te schotelen. Mama eet het allemaal op. Carly en ik besluiten al snel onze eigen was te gaan doen, nadat Carly's jurk van Urban Stone en mijn T-shirt van H&M twee maten kleiner en twee tinten grijzer uit de trommel komen. Papa strijkt zelf, aangezien hij niet zo blij is met zijn aan gort gestreken zijden overhemd. 'Mam, kun jij haar niet tegenhouden?' vraag ik, terwijl ik mijn verschrompelde truitje omhooghoud. Mama trekt haar wenkbrauwen op. 'Je denkt toch niet dat ik mijn moeder ooit zou kunnen stoppen? En bovendien doet ze dit misschien wel met een reden.'

'Hoe bedoel je?'

'Nou, jullie doen veel meer in huis dan ooit tevoren.'

Daar heeft ze gelijk in. Papa haalt nu eens per week de grote boodschappen, zodat oma niet hoeft te zeulen. Carly en ik stofzuigen nu, omdat oma dat altijd zonder bril doet en daardoor niet doorheeft wát ze eigenlijk opzuigt. Zoals een paar oorbellen, valse wimpers en mijn aardrijkskundeverslag. Mama ziet er echt beter uit, hoewel ze nog steeds chemotherapie krijgt. Waar het aan ligt weet ik niet. Misschien aan het eten dat haar moeder haar geeft, of aan de verbeterde sfeer in huis. Het is er niet rustiger op geworden. Oma raast als een bezetene door het huis. Eigenlijk denk ik dat mama er zo goed uitziet door haar nieuwe kapsel.

Als je kaal tenminste een kapsel mag noemen. Mama heeft haar hoofd kaal geschoren en dat komt door oma. En door Carly, natuurlijk. Mama's haar werd iedere week dunner. Inmiddels zag je haar hoofdhuid erdoorheen. Ze probeerde het altijd wel zó te kammen dat de kale plekken bedekt waren, maar ze begon wel erg op een oude vent te lijken.

Op een avond zitten we met z'n allen naar een soap te kijken, behalve oma, want die wordt depressief van soaps.

'Diane,' zegt oma opeens, 'waarom scheer je je hoofd eigenlijk niet kaal?'

Papa kijkt helemaal geschokt. Mama concentreert zich zo op de televisie dat het nauwelijks tot haar doordringt. 'Dat kan toch niet, mam. Daar ben ik veel te oud voor.'

Oma zucht. 'Hoe kom je daar nou bij! Bovendien, het staat Carly toch goed? Het zou jou ook prima staan.'

'Ja, mam,' zegt Carly, 'dat denk ik ook. Zal ik het voor je doen?'

'Ik weet het niet, hoor. Wat denk jij, Jess?'

'Doen!' zeg ik glimlachend. Ze doet het toch nooit!

'Erger dan dit kan het niet worden,' zegt oma, lekker tactvol als altijd.

Maar mama is wel overtuigd. 'Wat kan mij het ook schelen. Pak de schaar maar, Carly!'

Na de schaar volgt papa's scheerapparaat. Daarna doet Carly haar eigen hoofd, om mama bij te staan.

Ze zien er geweldig uit. Ze lijken eerder zusjes dan moeder en dochter. Vreemd dat mama er mét haar oud, moe en ziek uitzag en dat ze er zónder haar echt hartstikke cool uitziet. Anders, maar cool. Haar ogen lijken veel groter, vooral als Carly haar opmaakt met een speciaal kohlpotlood dat ze uit Thailand heeft meegenomen. Ze doet de oorringen in die ze met Pasen voor haar twintigste trouwdag van papa heeft gekregen. Dan kijkt ze hem grijnzend aan.

'Leuk?'

'Prachtig,' antwoordt hij, ook met een grijns. Ik kan wel janken.

'Nou jij,' zegt ze, zwaaiend met de schaar. 'Jij hebt toch weinig te verliezen.'

'Na jou, Jess,' zegt papa nerveus.

'Echt niet,' protesteer ik. 'Zo dapper ben ik niet, hoor. Muggs zou erin blijven.'

'Ik wil wel!'

'Nee, oma!' roepen we allemaal tegelijk. En dan barsten we in lachen uit. Die lieve, gekke oma toch. Dankzij haar voelen we ons weer echt een gezin.

133

Alles lijkt weer even helemaal normaal te worden.

Mama kan wat beter tegen de chemo. Debbie komt een keer langs, met een grote bos zonnebloemen en een doos met make-upjes en crèmepjes. 'Leuk, je haar zo!' roept ze bij binnenkomst.

'Leuk, mijn hoofd zo, bedoel je,' zegt mama een beetje zuur. Toch heeft ze het die middag wel naar haar zin. Debbie doet een schoonheidsbehandeling en lakt haar nagels en ze kletsen uren achter elkaar.

Voordat Debbie weggaat roept ze nog naar boven: 'Ali zou het leuk vinden om je te zien, Jess!'

'Ik zal haar wel een keer bellen!' roep ik terug.

Maar dat doe ik niet. Niet dat ik Ali de schuld geef van wat er is gebeurd, hoor. Ik weet alleen dat ze meteen naar mama en papa en mevrouw Taylor zal vragen als ik haar spreek en ik wil er niet over praten. Ik wil gewoon vergeten dat er ooit iets gebeurd is.

Carly krijgt een e-mail van Jake de Amerikaan, waarin hij schrijft dat hij in Londen is aangekomen. Natuurlijk wil ze naar hem toe.

'Prima, schat,' zegt mama. 'Als je maar wel op tijd terug bent voor je studie.'

En weet je wat? Ik ga niet eens over de emmer omdat zíj wel naar Londen mag en ík niet naar Cornwall. Het doet er namelijk niet meer toe. Als ik Carly op het station uitzwaai ben ik niet eens jaloers. Echt niet. Want hoe gek het misschien ook klinkt, ik vind dat ik thuis moet zijn om op mama en papa te passen. Om ervoor te waken dat er niet nog meer naars gebeurt.

Ik ben erachter wat er aan de hand is, hoor: er heerst een vloek op ons en dat is allemaal mijn schuld. Vanaf het moment dat ik de rol van Lady Macbeth kreeg hebben we alleen maar ellende gehad.

Weet je waar ik mezelf nu meer dan ooit op betrap? Weet je nog, van die rituelen die je vroeger als klein kind had, om ongeluk af te weren? Dat je bijvoorbeeld niet in je bed stapte voordat je eronder had gekeken? Niet dat je bang was dat er een monster onder lag, maar als je voor de zekerheid toch even keek, hoefde je je de rest van de nacht geen zorgen te maken. Dat soort dingen doe ik nu dus nog veel meer dan vroeger. Ik probeer bijvoorbeeld tot vijftig te tellen en als oma me in de tussentijd niet onderbreekt, dan gaat mama niet dood. Ik moet iedere keer opnieuw beginnen omdat ze zoveel kletst.

Voordat ik de deur uit ga, raak ik in de gang altijd even de foto van mama en papa aan, want dan zijn ze nog bij elkaar als ik weer thuiskom. Als ik het een keer vergeet, loop ik gewoon weer terug om het alsnog te doen. Oma betrapt me een keer. Ik doe net of ik mijn mobiel vergeten ben, maar ik kan wel merken dat ze er niet in trapt. Ik voel me zó stom. Maar ik kan er niet mee ophouden.

Dan komt er een moment waarop dit soort kleinigheidjes

niet meer genoeg zijn. Ik durf mama en papa niet eens meer alleen te laten. De keren dat papa in zijn eentje het huis verlaat, denk ik meteen dat hij naar mevrouw Taylor gaat. Ik snap niet waarom mama hem zomaar alleen op pad laat gaan. Snapt ze dan niet wat hij gaat doen? Waarom gaat ze niet met hem mee? Het lijkt wel of het haar niets kan schelen.

Op een dag maakt ze het echt te bont.

'Waar is papa?' vraag ik, terwijl ik de woonkamer binnen loop, waar mama en oma naar een of andere quiz zitten te kijken.

'Die is naar mevrouw Taylor toe,' antwoordt mama afwezig.

Mijn hart maakt een sprong, om meteen daarna de diepte in te duiken, rechtstreeks naar mijn schoenen.

'Ik heb zeven letters,' zegt oma. 'En jij?'

'Acht,' zegt mama. 'Ik heb "ketterij".'

'Goed, zeg.' Oma is vol bewondering. 'Ik heb "zwenken".'

Dan kijkt ze naar mij, terwijl ik met open mond naar mama kijk. 'Wat is er, Jess?'

Nu kijkt mama ook op. Waarom interesseert het haar niet? Waarom staat ze niet met een emmer rode verf bij mevrouw Taylor op de stoep om 'HOER!' en 'SLET!' op haar voordeur te kladden? Maar nee hoor. Zij zit hier een beetje te quizzen met oma!

Even kijkt ze me aan alsof ze me niet begrijpt. 'O, dat geeft niet, Jess,' zegt ze dan, als ze doorheeft wat mijn probleem is. 'Ze zijn die stomme schoolreis aan het regelen.'

Mijn hart klautert weer een stukje omhoog. Ze lijkt er echt niet mee te zitten. Zij denkt blijkbaar niet dat het een of andere stomme smoes is.

'Kijk niet zo, schat! Hij flikt heus niets. Hij is maar voor een halfuurtje weg.'
Ze klinkt alsof ze het allemaal wel grappig vindt. Dan richt ze haar aandacht weer op de televisie. Oma blijft wel naar me kijken.
'Dus hij gaat nog steeds mee?' vraag ik.
'Daar probeert hij nu achter te komen. Als ze niemand anders kunnen vinden die gek genoeg is om zijn zomervakantie op te offeren om met twintig kinderen naar een rockfestival te gaan, dan zal hij wel moeten.'
'Maar vind je dat dan niet erg?' Ziet ze dan echt niet wat er allemaal gebeurt?
'Blijkbaar niet zo erg als jij,' zegt ze kalm.
Uiteindelijk krijgt mama gelijk. Papa gaat mee omdat ze geen andere leraar kunnen vinden die mee wil.
De avond voor hun vertrek voel ik me echt beroerd. Muggs en ik gaan naar de bioscoop. Dat is zo'n beetje de enige plaats waar we rustig met z'n tweeën kunnen zijn, zonder dat we om de paar minuten gestoord worden door een broertje of zusje of door een oma. Muggs is in een amoureuze bui, waarschijnlijk omdat hij me straks een week niet ziet.
'Ik wou dat je meeging,' zegt hij. De bioscoop is bijna leeg en het is er erg donker. Hij trekt me tegen zich aan. 'Ik wil helemaal niet zonder jou,' fluistert hij dan. Ik voel zijn adem tegen mijn wang. Met zijn hand masseert hij zachtjes mijn schouder.
'Dan ga je toch niet?' bluf ik. Ik moet stiekem lachen als ik zijn hand voel stilvallen.
'Meen je dat serieus? Ik bedoel, als je echt niet wilt dat ik ga,

dan blijf ik thuis, hoor. Ali wil ook al niet meer. Ik had het er gisteravond nog over met haar. Als jij...'

Ik besluit hem uit zijn lijden te verlossen. 'Nee joh. Ga jij maar spookje spelen in Cornwall. Ik leer mijn tekst thuis wel uit mijn hoofd. Ik vind het echt niet erg.'

Om eerlijk te zijn vind ik het ook echt niet erg meer. Om een andere reden dan Muggs denkt natuurlijk. Eigenlijk zou ik woest moeten zijn omdat ik niet met mijn vriendje en mijn beste vriendin naar een rockfestival mag dat ook nog eens georganiseerd is door mijn lievelingslerares. Maar ik ben het niet. Niet meer, in ieder geval.

Er zijn nogal wat dingen veranderd.

Om te beginnen is zij mijn lievelingslerares niet meer. Ik kan haar niet meer zien. Ik kan haar naam niet meer over mijn lippen krijgen. Hoe ik haar in het nieuwe schooljaar in vredesnaam onder ogen moet komen weet ik niet. Raar hè? Het lijkt haast wel of ík iets verkeerds heb gedaan in plaats van zij. Zij zou bang moeten zijn om míj onder ogen te komen. Maar misschien is ze dat ook wel.

Ten tweede praat ik helemaal niet meer met mijn beste vriendin.

En als laatste, een heel belangrijke reden waarom ik het niet meer zo erg vind om niet mee te gaan: ik weet niet meer zo goed wat ik voor Muggs voel. Niet dat ik hem niet leuk meer vind, hoor. Ik vind hem juist erg leuk. Maar ik vind het prima om alleen maar bij hem te zijn, om samen te lachen, handjes vast te houden, een beetje te zoenen, dat soort dingen. Als ik even heel eerlijk mag zijn wil ik verder helemaal niets. Nog niet.

Dat is nu juist de ellende. Diep vanbinnen denk ik dat mama

best wel eens gelijk zou kunnen hebben. Wie weet wat er gebeurt als we met z'n allen in Cornwall zitten. Zou ik mezelf wel kunnen vertrouwen als ik Muggs dag en nacht om me heen heb? Zou mijn lichaam dan 'ja' schreeuwen, terwijl mijn hoofd nog steeds 'nee' zegt?

Het punt is dat mijn seksleven (of liever, het gebrek daaraan) nog zo'n beetje het enige is waar ik controle over heb. Misschien is het helemaal niet zo slecht om een week uit elkaar te zijn.

Bovendien, ik moet op mama letten. Ik heb het vreselijke gevoel dat het allemaal nóg erger gaat worden.

Vraag: Wat kan er nou erger zijn dan een moeder met borstkanker en een vader die een verhouding heeft met je lerares?

Antwoord: Een moeder die doodgaat.

Ik vertel natuurlijk aan niemand hoe ik me voel en wat ik denk. Ik doe net of ik de rust zelve ben, of het me niets kan schelen dat ik helemaal alleen ben achtergebleven terwijl de rest straks in Cornwall zit. Misschien gaan ze zich dan wel schuldig voelen.

Papa durft me niet eens aan te kijken terwijl hij zijn spullen pakt. Het is wel duidelijk dat hij eigenlijk helemaal niet mee wil. Bij de voordeur geeft hij mama en mij een kus op onze wang. 'Tot over een week,' zegt hij. 'Gedraag je,' antwoordt mama. Hij kijkt haar aan alsof hij haar het liefst een dikke knuffel zou geven, maar ze doet de deur al dicht. Als we ons omdraaien zien we dat oma naar ons staat te kijken.

'Jij mist ook helemaal niets, hè?' zegt mama. Daarna verdwijnt ze de keuken in.

Ik ga naar school om Muggs uit te zwaaien, maar ik loop niet met papa mee. Het doet toch wel even pijn als ik iedereen met zijn tent en slaapzak en zijn tekst van *Macbeth* zie zeulen. Muggs drukt me stevig tegen zich aan, alsof hij me nooit meer wil laten gaan. Zelfs Jade zegt iets aardigs tegen me, maar dat wordt direct afgestraft door Kelly.

Dan komt Ali naar me toe. Ze slaat haar armen om me heen en ik heb moeite om die dikke brok in mijn keel weg te slikken als ze zegt: 'Ik zal wel goed opletten.' Daarmee werpt ze een vuile blik op mevrouw Taylor, die in de bus hoofden zit te tellen.

Met Ali in de buurt kunnen ze echt niets uitspoken samen. Als ik dan ondertussen mama goed in de gaten hou, dan kunnen we met z'n tweeën misschien toch de vloek van *Macbeth* verbreken.

Als de bus wegrijdt zie ik Ali wild naar me zwaaien. Ook zie ik dat Kelly haar tas verschuift om naast Muggs te kunnen zitten. Het kreng. Maar het kan me niets schelen. Als ik tegenwoordig iemand kan vertrouwen dan is het Muggs. Hij zal me heus niet teleurstellen.

Oma heeft mijn moeder blijkbaar aan haar hoofd zitten zeuren over mijn vreemde gewoontes, want als ik thuiskom vraagt mama meteen of er iets is.

'Hoezo? Wat zou er mis moeten zijn? Nee hoor. Ik ben juist hartstikke blij dat ik alleen met mijn moeder en mijn oma mag thuisblijven terwijl mijn vriend en mijn beste vriendin en de hele cast van het toneelstuk waarin ik de hoofdrol speel naar een muziekfestival zijn.'

Ik had er nog wel even aan kunnen toevoegen dat mijn vader en zijn snolletje er ook gezellig bij zijn, maar dat was een beetje té geweest. Mama kijkt me even onderzoekend aan. 'Ik dacht dat je er onderhand wel overheen was. Moet je horen, Jess, je hebt niets verkeerds gedaan en je hebt geen huisarrest of zo. Wat mij betreft ga je wat leuks doen. Je hoeft echt niet hier bij oma en mij te blijven.'

Arme mama. Ze heeft geen flauw idee wat er allemaal in mijn hoofd omgaat. Ik voel me net de zoon van Lady Macduff, die zijn moeder moet beschermen terwijl zijn vader tegen de slechte Macbeth ten strijde trekt. Hun dialoog zal ik nooit vergeten.

'Was mijn vader een verrader, moeder?'
'Nou en of.'
'Wat is een verrader?'
'Iemand die trouw zweert en dan bedriegt.'
'Doen alle verraders dat?'
'Iedereen die dat doet is een verrader en moet hangen.'
'Moeten alle mensen opgehangen worden die trouw zweren en dan bedriegen?'
'Allemaal.'

Maar Macduff, de man die zijn vrouw en kind achterliet, sterft niet. Nee. Zijn arme, onschuldige vrouw en haar zoon sterven. Daarom let ik extra goed op mama, voor het geval... voor het geval haar iets ergs overkomt.

Ik moet zeggen dat ik onderhand een boek kan schrijven over *Macbeth*, zo goed ken ik de tekst inmiddels. Hoe vaker ik het lees, hoe meer overeenkomsten ik zie met mijn eigen leven.

Ben ik soms aan het doordraaien? Raak ik geobsedeerd? Word ik misschien even gek als Lady Macbeth? Ik heb wel het gevoel alsof ik ze niet meer allemaal op een rijtje heb. Ik loop naar mijn slaapkamer en pak *Macbeth* weer op. Ik kan het maar net zo goed helemaal uit mijn hoofd leren.

De volgende keer dat mama chemotherapie krijgt vraagt ze of ik met haar mee wil.

'Waarom?'

'Om eens te zien hoe het precies gaat. Niet dat het heel spannend is, hoor...'

Ik voel me meteen een stuk beter. Altijd als ik me verbeeld hoe het eruit moet zien als mijn moeder chemo krijgt, stel ik me een martelkamer voor met een stoel waarin ze wordt vastgebonden, terwijl iemand die op Hitler lijkt tegen mama's wil giftige stoffen in haar aderen pompt. Ik heb heus wel gehoord hoe het er tijdens de Holocaust in de Tweede Wereldoorlog aan toeging. In werkelijkheid gaat het vast anders.

'Oké dan.'

'Mooi. De man van Gail komt me ophalen omdat papa me nu niet kan brengen. Steve heeft vast ook wel ruimte voor jou.'

En zo komt het dus dat ik opeens achter in een grote auto zit, met de kleine Alfie naast me in zijn autostoeltje. Mama en Gail kletsen en Steve rijdt ons naar het St John's.

De behandelkamer in het ziekenhuis lijkt in de verste verte niet op wat ik me had voorgesteld. Ik had gedacht dat het er vol zou zitten met oude, zieke mensjes, maar dat is helemaal niet zo. Er zijn wel oude mensen, maar vooral ook veel jonge, en zelfs kleine kinderen. Die worden in aparte kamers behandeld, door verpleegkundigen die verkleed zijn als clowns.

Mama en Gail worden begroet alsof ze er al jaren over de vloer komen. Het eerste wat mama doet als ze binnenkomt is naar de diepvries lopen en er twee Magnums uit halen. Ze geeft er een aan Gail. 'Sorry, Jess, die zijn niet voor jou. Wij moeten ze eten om onze mond koud te houden tijdens de behandeling.'

Ja hoor, natuurlijk! Gail deelt die van haar met Alfie, die geen begrip heeft voor dat soort flauwe smoesjes. Vervolgens komt er een wreed knappe verpleger, genaamd Paul, binnen om mama te behandelen. Hij legt uit dat het ijs dient om de mond ijskoud te houden, zodat er minder kans is op pijnlijke zweren. Tijdens de behandeling blijft hij gezellig met mama praten. Ze krijgt drie verschillende soorten medicijnen, die worden ingebracht via een infuus in haar hand. Binnen twintig minuten is het gebeurd. Mama kijkt helemaal opgelucht.

Gail heeft minder geluk. De verpleegkundige krijgt de naald niet in Gails hand. Dan probeert ze het in haar arm, maar ook dat wil niet. Ze roept een andere verpleegster om haar te helpen en die neemt een teil met warm water mee, waar ze Gails hand en arm even in laten weken. Eindelijk weet de tweede verpleegkundige de naald in haar pols te schuiven. Gail ziet lijkbleek.

Maar dat is nog lang niet alles. Gail is vastbesloten om haar eigen haar te houden en moet de ijskoude kap op haar hoofd. Mama doet dat al niet meer sinds ze haar hoofd heeft kaalgeschoren. Gail moet nu drie uur die kap op, zodat haar haren beschermd worden tegen de hoge concentratie giftige stoffen. Ze zit er maar ongelukkig bij. Koud vooral.

Als mama klaar is nemen we Alfie in zijn wagentje mee naar het restaurant. Ik draai me nog even om en zie dat Steve bij Gail blijft om haar handen warm te wrijven. Een van de verpleegsters brengt Gail een deken. Ze ziet er doodmoe uit.

'Gaat het wel, mam?' vraag ik als we eenmaal in het restaurant zitten. Ik mag Alfie de fles geven, wat ik übercool vind. Hij houdt even op met drinken en lacht zijn melkmondje bloot.

'Het gaat prima, schat.' Ze neemt een slok warme thee. 'Hè, daar was ik echt aan toe. Ik ben alleen een beetje moe, maar ik ga vanavond gewoon lekker vroeg naar bed.'

...onschuldige slaap,
Slaap, die de knopen van de zorg ontwart,
De dag ter ruste draagt en wonden baadt.

De woorden van Macbeth blijven maar door mijn hoofd spoken. Het lijkt wel of ik een innerlijke stem bij me heb die mijn eigen gedachten dreigt over te nemen. Alsof ik twee parallelle levens leid: een in het elfde-eeuwse Schotland en het andere in de eenentwintigste eeuw. Allebei de levens lopen naast elkaar en elk leven is zich altijd bewust van het andere. Ik ben doodsbang dat ze elkaar op een dag tegenkomen en botsen.

Opeens voel ik een lieve aai, of iets wat het midden houdt tussen een aai en een klopje. Als ik naar beneden kijk zie ik dat Alfie met zijn handje steeds tegen mijn wang komt terwijl hij rustig ligt te drinken. Hij houdt even stil en kijkt me doordringend aan. Er verschijnt een belletje in zijn mondhoek. Dan laat hij tevreden een scheet en kijkt hij me stralend aan.

'Ah,' zeggen mama en ik tegelijk en we barsten in lachen uit.

Papa belt iedere avond, altijd vlak voordat mama televisie gaat kijken. Muggs belt en sms't de hele dag door. Ze hebben het heel erg naar hun zin. Muggs zegt dat niet letterlijk. Hij zegt dat de bands maar matig zijn en dat het weer ook niet om over naar huis te schrijven is. Ook zegt hij dat hij me mist. Ik geloof hem.

Ze zijn ook druk bezig met het toneelstuk. Vooral met de legerscènes, omdat ze nu alle ruimte hebben om eens goed te bekijken wie het beste waar kan staan. Papa blijkt een ongekend talent voor choreografie te hebben, want hij zet alle gevechten en marsen in scène.

Ik kom niet in die scènes voor, dus wat dat betreft mis ik niet veel. In dit gedeelte van het toneelstuk ben ik allang dood en begraven. Niet dat Macbeth dat ook maar iets kan schelen.

'Was zij toch maar hierna gestorven.'

Dat is wat hij te zeggen heeft als hij hoort dat ik dood ben. Ik, zijn *'liefste deelgenoot in grootheid'*, zijn liefste lief. Mannen! Hij is helemaal ontaard en brengt zijn tijd allang liever door met het bedrijven van zwarte magie en het bezoeken van de drie gekke heksen, terwijl hij eigenlijk voor zijn arme, treurige vrouw zou moeten zorgen, die thuis, in dat eenzame kasteel, langzaam kierewiet zit te worden. En weer lopen onze levens gelijk aan elkaar! Ik zit ook in mijn uppie thuis, terwijl Muggs muziek maakt met het 'heksentuig', Kelly, Jade en Ali. Inmiddels vind ik het allemaal niet meer zo cool. Denk maar eens na: mevrouw Taylor wil dat ze de heksen als verleidsters neerzetten, zodat ze Macbeth voor zich kunnen winnen met hun seksuele aantrekkingskracht! Ha! Daar heeft zij natuurlijk verstand van. Dit komt Kelly natuurlijk allemaal heel goed uit. Zij zou er inderdaad alles voor overhebben om Muggs te laten zwichten voor haar bovennatuurlijke charmes. Nee, ik moet me inhouden. Ik vertrouw hem. En Ali zou een oogje in het zeil houden. Toch?

'Jess?'

Lady Macbeth en ik zitten weer in mijn slaapkamer. Dit keer nemen we onze laatste scène door. Ze is aan het slaapwandelen. Haar ogen zijn wel open maar 'er dringt niets in door'. Een beetje zoals ik er tegenwoordig bij loop. Inmiddels is ze zo gek als een deur en wordt ze geplaagd door de kwade geesten van schuld en duisternis. Van die regeltante uit het eerste bedrijf is erg weinig meer over. Ze heeft dan wel haar zin gekregen, maar ze is er bepaald niet gelukkiger op geworden.

'Jess!'

Ik zit zo te piekeren over hoe ik de zin 'Verdwijn, vlek!' moet brengen zonder dat het publiek een gevlekte hond verwacht te zien, dat ik me kapotschrik van oma's stem. Vanuit de deuropening staart ze me onderzoekend aan.

'Jij was ver weg.'

'In de elfde eeuw, om precies te zijn.'

'Je zit veel te vaak in dat boek te lezen.'

'Het is geen boek. Het is een toneelstuk.'

'Je weet best wat ik bedoel. Je moeder is naar Gail toe. Mag ik binnenkomen?'

Ze zakt op het bed neer en trekt haar slof uit om haar eeltknobbel te masseren. 'Poeh. Da's beter.'

Ik vind het echt fijn dat oma er is.

'Komt u ook naar het toneelstuk kijken, oma?'

'Ik kan moeilijk niet komen: jij en je vader hebben er zo veel tijd aan besteed.'

Voorzichtig kijk ik haar aan. Ik kan niet goed raden wat ze precies denkt. Weet ze eigenlijk wat er allemaal aan de hand is?

'Wil je later actrice worden?' vraagt oma, terwijl ze mijn kussens opschudt en het zichzelf gemakkelijk maakt.

Daar heb ik eerlijk gezegd nog nooit over nagedacht.

'Weet ik niet. Ik ben er altijd van uitgegaan dat ik zou gaan studeren.'

'Net als Carly?'

'Ja.'

'Maar jij bent Carly niet.'

'Dat weet ik. Maar ik denk dat iedereen vindt dat ik iets als Engels of geschiedenis moet studeren. Een vak waar ik goed in ben.'

'Je bent anders ook goed in acteren. Dat ziet een kind.' Ze pakt de ingelijste foto van Muggs om hem van dichtbij te bekijken. 'Leuke jongen om te zien. Hij moet wel dringend naar de kapper. In onze tijd hadden we hem een "mietje" genoemd, met die paardenstaart.'

'Dat is in de mode, oma,' zeg ik, giechelend bij de gedachte dat iemand de stoere, rugbyende Muggs als mietje zou bestempelen.

'Wie vindt trouwens dat je dat moet?'

Soms kan ik oma niet bijhouden. Ze springt van de hak op de tak.

'O, ik snap het. Studeren. Nou, mama en papa, denk ik.'

'Hmm. Je bent net je moeder.'

'Waarom?' Waar heeft ze het nu weer over? 'Mama houdt helemaal niet van acteren!'

'Vroeger wel. Maar goed, zo bedoel ik het niet.'

Ik leg mijn boek neer en kijk oma eens goed aan. 'Hoe bedoelt u het dan wel?'

Oma zet de foto van Muggs terug en pakt nu een foto van mama en papa op. Met haar vinger streelt ze over mama's gezicht. Ze heeft een zachte blik in haar ogen.

'Ze had van alles met haar leven kunnen doen, die moeder van jou. Ze had zo veel talent.'

'Net als ik, bedoelt u?' zeg ik, met een brede grijns. Maar ze kijkt me heel ernstig aan.

'Ja. Maar zij was zelfs nog banger dan jij om het er ook echt op te wagen.'

Ik heb echt een vertaler nodig, hoor. Wacht eens... Zou oma misschien doorhebben wat Muggs en ik uitspoken? Vergis ik me, of probeert mijn oma me nou te vertellen dat ik met Muggs moet vrijen? Wat een pijnlijke toestand! Ik loop helemaal rood aan.

'Ik bedoel dat zij haar hele leven heeft gedaan wat andere mensen van haar verwachtten. Maar daar is ze niet veel mee opgeschoten, hè?'

Godzijdank. Ze had het niet over bloemetjes en bijtjes. Dan dringt plotseling tot me door wat ze net eigenlijk zei. Het lijkt wel alsof ze vindt dat mama een rotleven heeft gehad. 'Ze is anders wel gelukkig, hoor,' protesteer ik. (Nou ja, ze was gelukkig voordat ze kanker kreeg en de hersenen van mijn vader naar zijn broek zakten.) 'Ja, natuurlijk is ze gelukkig. Ze heeft jou en Carly en ze is dol op jullie. Ze zou alles voor jullie doen.'

En voor papa, denk ik stiekem. Zeg nou dat ze ook dol is op papa.

'Maar dat is nu juist het probleem,' gaat oma verder. 'Ze doet haar hele leven al wat andere mensen willen.'

'Hoe bedoelt u?' Voor zover ik kan zien doet mama altijd precies wat ze zelf wil en heeft ze dat ook altijd gedaan. Zíj heeft het hier in huis voor het zeggen.

'Nou, ze is bijvoorbeeld met je vader getrouwd omdat Carly onderweg was en omdat hij haar vroeg.'

'O ja?' Verbijsterd kijk ik oma aan. Ik wist niet dat mama in verwachting was voordat ze trouwde. Daar was ik vast eerder achter gekomen als ik de moeite had genomen om te rekenen, maar dat is gewoon nooit bij me opgekomen. Ik vraag me af of zij dezelfde gevoelens had voor papa als ik voor Muggs. Snel probeer ik aan iets anders te denken. Mama en papa die verliefd zijn op elkaar... Getver!

'Je moeder werd lerares omdat opa altijd zei dat ze dat zo goed zou kunnen. En dat klopte ook: ze was goed. Ze studeerde altijd hard en heeft ook keihard gewerkt om een goede echtgenote en een goede moeder te zijn. Maar ik weet niet...'

'Wat?' Dit vind ik wel even heel belangrijk. Ik heb nooit gedacht dat mama hard moest werken om een goede lerares of een goede moeder te zijn. Vooral dat laatste leek haar nooit enige moeite te kosten. Het ging altijd vanzelf. Tenminste, dat dacht ik.

'In de loop der jaren is die vrije geest van je moeder zoekgeraakt. En ze had zo'n mooie toekomst voor zich. Ze had van alles kunnen worden. Schrijfster, kunstenares, danseres...'

'Oma!' Ze doet net of mama dood is! Als ze me aankijkt zie ik dat er tranen in haar blauwe ogen staan. Of heeft ze gewoon oude ogen?

'Ze had haar wilde haren eerst een beetje moeten kwijtraken, een beetje lol moeten maken.' Dan ziet ze hoe ik haar aankijk. 'Het spijt me, Jess, ik moet niet zo zeuren. Let maar niet op mij. Ik ben gewoon een gek, oud mens.'

Ze weet het.

Ze weet van papa en mevrouw Taylor. Maar ze veroordeelt hen niet. Ze had alleen liever gezien dat haar dochter een verhouding had gehad.

Ik sla mijn armen om haar middel en leg mijn hoofd op haar grote boezem. Zachtjes aait ze over mijn haar.

'Meisje toch,' fluistert ze. 'Ik vergeet altijd dat jonge mensen zoals jij zo conservatief zijn.'

'Oma,' zeg ik wanneer ik naar haar opkijk, 'u bent een beetje een slet.'

Met een lieve glimlach kijkt ze me aan. 'Je hebt helemaal gelijk. Een ouwehoer, letterlijk en figuurlijk. Als je moeder zou weten dat ik dit allemaal tegen je had gezegd zou ze helemaal doordraaien. Wil je me iets beloven?' Met haar vingers onder mijn kin tilt ze mijn hoofd naar haar op.

'Zeg het maar.'

'Zorg ervoor dat je je door niemand de wet laat voorschrijven, Jess. Blijf altijd jezelf. Laat je door niemand veranderen. Beloof je dat?'

'Ik beloof het.'

Maar het is al te laat. Ik ben al door iemand veranderd. Ik ben Lady Macbeth. En dat maakt me vreselijk bang, want zij leefde niet bepaald lang en gelukkig.

Plotseling is die afschuwelijke zomer voorbij. Papa is weer thuis. Als hij binnenkomt neemt hij een walm met zich mee van de uienpasteitjes die hij in Cornwall heeft gekocht. Onder zwaar protest van papa gooit mijn moeder ze meteen in de vuilnisbak. Toch lijkt ze best blij om hem weer te zien. Hij slaat zijn armen om haar heen en klopt haar even op haar rug.

Muggs is helemaal door het dolle als hij me weer ziet. 'Ik heb je zo gemist,' zegt hij. Hij knijpt me helemaal fijn. Als cadeautje heeft hij een ketting voor me meegenomen. Hij is van tin, dat gewonnen is uit de bodem van de zee bij Cornwall. In gedachten lach ik Kelly hartelijk uit.

'Wat zie je er moe uit,' zeg ik. Hij heeft donkere kringen onder zijn ogen en komt erg duf over.

'Gisteravond te veel gedronken,' biecht hij op. 'We hadden een feestje op het strand en dat duurde tot vroeg in de ochtend. Achteraf gezien had ik er beter niet naartoe kunnen gaan.'

'Jij kunt ook niks hebben,' plaag ik. 'Fijn dat dat verbod op alcohol zo goed is nageleefd. Waar was mijn vader trouwens, in het feestgedruis?'

'Die lag te slapen.'

Mijn vader die genept wordt? Dat is weer eens wat anders. Oma gaat met de trein terug naar huis. Het is weer een heel gesjouw met haar koffers en tassen. De goudvis vergeet ze. 'Halleluja!' roept mama als de trein wegrijdt en we oma uit het zicht zien verdwijnen. Ondertussen veegt ze stiekem wat tranen weg.

'Oma is cool.' Ik steek mijn arm in de hare als we naar de auto teruglopen.

'Dat is ze zeker,' geeft ze tot mijn stomme verbazing toe. 'Weet je, ik had nooit gedacht dat ik het ooit erg zou vinden om afscheid te nemen van mijn moeder.'

Zij en oma zijn echt naar elkaar toe gegroeid in de afgelopen weken. Mama is veranderd. Ze is veel rustiger geworden. Ze probeert niet meer de supervrouw uit te hangen. Toch vreemd, hoe dingen zo kunnen veranderen. Even kijk ik naar haar en ik vraag me af of ze echt met minder genoegen heeft genomen door met papa te trouwen. Is ze teleurgesteld in haar leven met ons? Ik hoop het niet!

Voor ik het weet begint het schooljaar al bijna weer. Ik heb het druk met schoolspullen en nieuwe kleren kopen en met het bij elkaar rapen van mijn boeken en opdrachten van zes weken geleden. Ik ben blij dat de zomer voorbij is en dat ik weer lekker in de pauze Muggs' hand kan vasthouden, weer kan volleyballen en na school weer naar het winkelcentrum kan. Maar waar ik nog het meest naar uitzie? Het toneelstuk natuurlijk!

Mevrouw Taylors verleidingskunsten zijn allemaal op niets uitgelopen. Ze had even niet gerekend op onze hechte familieband. Dus nu kan ze zich mooi weer richten op waar ze goed in is, namelijk acteerles en Engels geven. Nee, dat mens kan me niets meer schelen. Ik ben namelijk ook volwassener geworden.

Voor de zekerheid trek ik op de eerste schooldag toch maar even Ali aan haar jas.

'En?'

'Watte?'

'Heeft hij zich gedragen?'

'Wie?' Ze kijkt me verschrikt aan.

'Mijn vader natuurlijk! Wie dacht jij dan? Je zou hem toch in de gaten houden?'

'O ja. Natuurlijk. Ze zijn niet eens bij elkaar in de buurt geweest, behalve bij de repetities.'

'Mooi zo. En jij?'

'Hoezo, en ik?' Waarom is ze zo zenuwachtig?

'Wat heb jij uitgespookt? Zeg, wat héb jij vandaag?'

'O, niks hoor. Ik heb me met *Macbeth* beziggehouden. Niets bijzonders. Je hebt helemaal niets gemist.'

Daar heeft ze gelijk in. De teambuilding is jammerlijk mislukt. Goed, ze hebben het tweede gedeelte van het toneelstuk nu onder de knie – het lastige, saaie stuk (omdat ik er bijna niet in voorkom, ha ha) –, maar verder heerst er een vervelende sfeer. Iedereen lijkt zo gespannen. Misschien komt dat gewoon doordat de uitvoering nu echt voor de deur staat en we allemaal een beetje ongerust beginnen te worden.

Ik had gedacht dat Ali inmiddels wel dikke vriendjes zou zijn met Kelly en Jade, maar niets is minder waar. Ali lijkt nu het mikpunt van hun spotterijen te zijn. Kelly maakt steeds lullige opmerkingen over Ali tegen Jade.

Blijkbaar heeft Ali niet alleen papa goed in de gaten gehouden, maar ook Kelly, want die laatste is goed pissig op haar. Lieve Ali.

Maar goed. De repetities gaan prut nu de eerste en de tweede heks als een Siamese tweeling aan elkaar vastgelijmd zitten en de derde heks er maar een beetje bijbungelt. Eén voordeel: de scène waarin Macbeth teruggaat naar de heksen en ze moeten spelen dat ze hem haten, gaat hen erg goed af. Ik moet tot mijn spijt toegeven dat Kelly uitstekend is, vooral omdat ze met hem speelt alsof ze iets van hem weet. Zelfs Ali kijkt hem aan alsof ze een teringhekel aan hem heeft. De spanning is letterlijk te snijden.

Mevrouw Taylor is buiten zinnen van bewondering. 'Knap gedaan, heksen. Waar kwam dat allemaal vandaan? Jullie acteerwerk heeft echt iets extra's gekregen.'

Kelly kijkt alsof ze erg tevreden is met zichzelf. Mevrouw Taylor gaat verder.

'Macbeth, dit is precies de scène waarin je je voorgoed overgeeft aan het kwaad. Van nu af aan is de goederik weg. Je bent nu een slecht mens.'

'Dat kun je wel zeggen,' grapt Kelly. Jade barst in lachen uit. Mevrouw Taylor kijkt hen verbaasd aan. 'Is er iets wat ik moet weten?'

'Nee, mevrouw. Niets wat ú hoeft te weten,' zegt Kelly. Iedereen krijgt de zenuwen van haar. Muggs lijkt haar nek wel te kunnen omdraaien, Ali kijkt haar hatelijk aan en zelfs Liam, die Macduff speelt, doet zijn mond open. 'Hou dan je kop, Kelly. Dan kunnen we verder.'

Even lijkt het alsof er ieder moment een bom kan ontploffen. Dan draait Kelly zich om en beent de zaal uit.

'Kreng,' mompelt Muggs.

Ik ben niet achterlijk, hoor. Ik weet best wat Kelly probeert te doen. Maar ik trap er niet in. Ik ken mijn vriend: aan zijn stem kan ik horen dat hij nog niet eens in de buurt wil komen van die heks, hoe ze hem ook probeert te betoveren. En Muggs en ik zijn echt briljant. De eerste scènes zijn een makkie, omdat ik daarin mijn seksuele macht over hem kan aanwenden om hem te laten doen wat ik wil. Ik ken deze dame inmiddels erg goed. Ik weet hoeveel ze van haar man houdt, ik weet dat ze het beste voor hem wil. Tenminste, dat wat zij het beste voor hem vindt. Het is heel makkelijk om dit met Muggs te spelen, omdat ik van hem hou (dat denk ik in ieder geval). Dus ik doe gewoon wat me het beste lijkt, net als Muggs. Blijkbaar heeft het effect.

'Geweldig gespeeld, Jess,' zegt mevrouw Taylor. 'Jullie allebei, trouwens.'

Voor het eerst sinds die ene vreselijke dag kijkt ze me recht in de ogen. Ik weet een glimlach op mijn gezicht te toveren. 'Dank u.'

Ik kan het. Het komt allemaal goed. Ik kan best met haar samenwerken.

Zo makkelijk als de eerste scènes gaan, zo lastig wordt het daarna, als de scène met het feest volgt. Dat is wanneer Macbeth verklapt dat hij een moordenaar is en ik mijn uiterste best moet doen om uit te leggen dat hij ziek is en daarom dit soort onzin uitkraamt. Dit is een stuk moeilijker om te spelen. Lady Macbeth heeft haar man dan wel aangezet om Duncan te vermoorden, maar ze had niet kunnen denken dat hij verder aan het moorden zou slaan zonder het haar te vertellen. Het is een geweldig toneelstuk, dat merk je aan alles: zelfs de jongens uit mijn klas die literatuur iets voor homo's vinden, hebben lol.

In mijn spel moet ik ervoor zorgen dat ik:

1. een machtige, manipulatieve vrouw neerzet die er langzaam achter komt dat de liefde van haar leven en haar leven zelf gedoemd zijn en
2. de sympathie van het publiek weet te winnen, ook al haten ze mijn personage.

Moeilijk. Maar niet onmogelijk. Weet je hoe ik het voor elkaar krijg? Door weer gewoon te kijken naar mijn eigen leven. Daar heb ik op geoefend. Ik heb eens nagedacht over hoe verward en geschokt en verdrietig ik was toen ik hoorde dat mijn vader een verhouding had. Over wat ik hem eigenlijk allemaal had willen zeggen maar niet durfde, omdat ik bang was dat hij dan weg zou gaan. Al die gevoelens probeer ik op te roepen, om ze vervolgens af te reageren op Macbeth.

'Bent u een man?'

blaf ik hem toe. En:

'Wat? Totaal ontmand in dwaasheid?'

En:

'Foei! Schaam u toch!'

Vol bitterheid en walging bijt ik het hem allemaal toe.
Dit soort acteren heeft een speciale naam. Het heet *method-acting*, waarbij je tijdens het acteren de emoties van het personage probeert terug te vinden in dingen die je zelf hebt meegemaakt. De woede die Lady Macbeth voelt, voelde ik toen papa ons zo in de steek liet. Lady M en ik hebben veel gemeen. We weten allebei hoe het voelt om bedrogen te worden door de man van wie je houdt.

Mijn manier van acteren werkt goed, als ik mag afgaan op de stilte die valt wanneer de scène is afgelopen. Even later zijn de complimenten niet van de lucht.

'Wauw!'

'Niet te geloven!'

'Goed gedaan, Jess!'

En dat terwijl dit eigenlijk de scène van Macbeth was. Sorry dat jouw acteerprestaties niet opvielen, Muggs.

Mevrouw Taylor kijkt me aan. 'Dat kwam van heel diep,' concludeert ze.

'Ja. dat klopt,' zeg ik. Ik kijk haar doordringend aan, maar ze draait haar hoofd weg.

Vanavond is de eerste uitvoering. Eindelijk. Na vier maanden bloed, zweet en tranen. We zijn allemaal verschrikkelijk zenuwachtig.

Vorige week kenden we allemaal de tekst uit ons hoofd. Vandaag weten we nauwelijks meer wanneer we op moeten! De generale repetitie ging beroerd. Niemand kende zijn tekst. De heksen waren uitermate slecht, Malcolm was niet te verstaan en het decor donderde naar beneden. Zelfs Macbeth vergat een keer op te komen.

'Maak je maar geen zorgen,' zegt mevrouw Taylor. 'Een slechte generale repetitie is een goed voorteken.'

Puh!

Het is helemaal uitverkocht. Geen wonder: Muggs' hele familie – inclusief moeder, stiefvader, kinderen, vader, nieuwe vriendin van vader en hun kinderen. Die hele familie neemt de eerste twee rijen in beslag. Ik heb Muggs nog nooit zo blij gezien.

Ik vind het fijn dat hij weer een beetje zichzelf is. Na zijn terugkomst uit Cornwall was hij zo stil. Alsof hem iets dwarszat. Niet dat we veel tijd samen hebben doorgebracht, hoor. 's Avonds hadden we het te druk met repeteren en Muggs heeft natuurlijk een stuk meer huiswerk nu hij in zijn eindexamenjaar zit. Ik weet dat hij per se goede cijfers wil halen. Hij wil namelijk de eerste in zijn familie zijn die gaat studeren.

Naast de familie van Muggs zijn er ook wat kijkers voor mij. Carly is weer terug uit Londen. Volgende week gaat ze naar Bristol, voor de introductieweek, maar nu heeft ze nog tijd om naar Macbeth te komen kijken. Oma komt vanmiddag. Mama heeft alvast kaartjes gekocht voor iedereen, ook voor Gail. Die twee zijn echt dikke vriendinnen geworden. Ik kan me niet herinneren dat mama eerder een beste vriendin heeft gehad. Daar had ze het zeker te druk voor. Papa was altijd haar beste vriend.

Papa is vanavond achter de coulissen om voor het decor en de rekwisieten te zorgen. Hij is bijna net zo nerveus als ik. De laatste paar weken heb ik genoeg kansen gehad om hem en mevrouw Taylor van dichtbij gade te slaan, maar ik moet eerlijk zeggen dat ik niets speciaals heb gezien. Ze gedragen zich gewoon als twee collega's die goed kunnen samenwerken. Meer niet. Gelukkig maar. Carly had dus gelijk: pa had last van penopauze. Gekke papa. Plotseling voel ik iets van medeleven voor die arme, misleide mevrouw Taylor, die ten prooi viel aan papa's twijfelachtige charmes. Ik stop zelfs wat geld in de collectezak om een bos bloemen voor haar te kopen.

Over bloemen gesproken: drie keer raden wie er een prachtige bos rode rozen met gipskruid kreeg? Juist. Ik had nog nooit bloemen gekregen! De bos stond voor me klaar toen ik om klokslag zes uur in het toneellokaal aankwam.

VOOR MIJN FAVORIETE HOOFDROLSPEELSTER, staat er op het kaartje. Ik voel me net een echte ster.

Muggs staat gespannen naar me te kijken. Ik gooi mijn armen om zijn nek.

'Ik hou van je!' roep ik.

'Ik ook van jou,' zegt hij zachtjes. Wat klinkt hij ernstig! Net alsof hij het voor zichzelf ook nog even bevestigt. 'Als je het maar onthoudt.'

'Denk je echt dat ik dat zou vergeten?' zeg ik, terwijl ik de bloemen tegen de spiegel aan zet, zodat ik (en de rest) ze kan zien terwijl ik me aankleed en me opmaak.

Kelly's gezicht spreekt boekdelen. Ze is hartstikke jaloers. Ik krijg ook een heleboel kaarten om me succes te wensen, terwijl zij er maar een krijgt. En die is van Muggs en mij, omdat we de hele cast een kaart hebben gestuurd. Ze bedankt me niet eens. Ze stopt de kaart terug in de envelop, in plaats van hem op de tafel te zetten, zoals alle anderen doen.

'Wegwezen nu,' zeg ik tegen Muggs. 'Ik moet me omkleden.' Dan geef ik hem een kus.

We hebben gewoon moderne kleren aan. Dat was een idee van mevrouw Taylor. De heksen zien eruit als sletten: Kelly heeft een strakke leren broek aan en een bomberjack, haar haren zijn achterovergeplakt met gel; Jade draagt een heel strak topje, een minirok en netkousen, met hoog opgestoken haren en enorme oorringen; Ali heeft een gescheurde spijkerbroek en een topje met een diep decolleté aan, haar blonde haren rommelig vastgezet met een klem. De heksen zien er wild, agressief en roofzuchtig uit. En ik? Ik zie er superstijlvol uit.

Ik heb een soepele, diepblauwe zijden jurk aan die mijn rondingen benadrukt zonder dat hij te strak zit. Mijn haar zit in een knot, waardoor mijn jukbeenderen en mijn kaken heel

161

goed uitkomen (die waren me nooit echt opgevallen). De zachte stof van de jurk valt mooi rond mijn borsten en plakt tegen mijn (gelukkig platte!) buik en mijn heupen. Ik heb hoge hakken aan en mijn billen steken uitdagend naar achteren, terwijl mijn benen tot aan mijn oksels lijken te komen.

Ik zie er heel anders uit. Ouder en heel sexy, veel subtieler ook dan de heksen. Geen wonder dat Macbeth me onweerstaanbaar vindt!

Hij ziet er trouwens ook erg smakelijk uit. Hij heeft een wit smokingjasje aan en een strakke zwarte broek, met zwarte lakschoenen. Om te laten zien dat wij bij elkaar horen, heeft hij een stropdas om die van dezelfde stof is gemaakt als mijn jurk. We lijken wel een showbizzstel.

Als er iemand van de plaatselijke krant een foto komt maken, gaan we met alle plezier gearmd voor de camera staan. Kelly staat op de achtergrond, maar de fotograaf vraagt haar uit beeld te gaan. Ze kijkt woedend.

In het toneellokaal is de spanning om te snijden. Jade zeurt dat er een gat in haar panty zit, maar omdat mevrouw Taylor vindt dat het extra jeu aan haar outfit geeft, scheurt ze er nog maar een gat in, tot afgrijzen van de lerares. Alle meiden maken zich zorgen om hun kleding en hun make-up. De jongens zijn bang dat ze hun tekst vergeten. De soldaten moeten hun zwaarden tegen de muur aan zetten, voor het geval er per ongeluk iemand aan gespietst wordt.

Een aantal mensen kijkt om de hoek om te zien of ze hun familie al in de zaal zien zitten, hoewel mevrouw Taylor ons dat uitdrukkelijk had verboden. Mevrouw Shepherd komt langs om ons allemaal succes te wensen. Zij weet te vertellen dat de zaal afgeladen vol zit. Er zijn alleen nog staanplaatsen.

Voor we het doorhebben is het tijd. We gaan, hand in hand, in een grote kring in het midden van het toneellokaal staan. Allemaal, ook de mensen die achter de schermen werken. Ik zie papa binnenkomen. Ali maakt plaats voor hem en pakt zijn hand. Hij lacht naar haar en Ali grijnst terug. Ik krijg meteen een brok in mijn keel.

Dan beginnen we zachtjes aan een wedstrijdkreet die we geoefend hebben:

'Allemaal goed oppassen,
Wij gaan iedereen verrassen
Macbeth eens flink de oren wassen
Wij zijn de cast en wij zijn klasse!'

Steeds sneller zingen we en steeds harder, totdat het hele lokaal galmt van onze kreten. We voelen ons echt één. Als mevrouw Taylor aangeeft dat we er een knallend eind aan moeten breien, schreeuwen we nog een laatste keer en daarna omhelzen we elkaar allemaal en wensen we elkaar veel succes. Nog wat zenuwachtig gefluister in de coulissen. En dan moeten we op!

Heavy metal schalt door de boxen als de drie heksen opkomen. Het publiek lacht even om hun kleding en dan begint het toneelstuk echt. De gezusters weven hun bedrieglijke web.

We hebben een erg enthousiast publiek. Ze vinden het allemaal prachtig. Als Muggs en Banquo in de derde scène van het eerste bedrijf opkomen, klinkt er gefluit en geroep om

hen aan te moedigen. Als volleerd acteur wacht Muggs tot
de herrie wat is gaan liggen voor hij weer verdergaat, met de
zin die hem voorgoed aan de heksen bindt.

'Zo'n grauwe en gouden dag was het nog nooit.'

Het is zover. De link is gelegd. Het gaat heel goed. De goeie,
oude Duncan – gespeeld door Ryan uit de vijfde – krijgt even
de kans om het publiek voor zich te winnen. En dan is het de
beurt van Lady Macbeth.

'Succes, Jess.'

Ik draai me om. Daar staat mevrouw Taylor. In een opwel-
ling knijp ik even in haar hand. Verwonderd maar blij kijkt
ze me aan. Ik heb geen tijd om erbij stil te staan. Ik moet op.
Ik loop het toneel op, met de brief van mijn man in mijn
hand. Dan hoor ik iemand in het publiek naar adem hap-
pen, voordat ik mijn mond open kan doen. Ik weet precies
wie het is: het is mama.

En dan? Dan begint het hele publiek te klappen, voordat ik
ook maar een woord heb gezegd. Net als Muggs wacht ik
even tot het stil is. Dan begin ik.

Ik lees de brief van Macbeth hardop voor. We zien wat de
heksen hem hebben beloofd, namelijk dat hij ooit koning
zal worden. Ik biecht mijn twijfels op. Hij is *'te vol met melk
van menselijke zachtheid'*.

Iemand moet hem ervan overtuigen dat hij de goede koning
Duncan vermoordt. Toch ben ik niet zo inslecht als ik me
voordoe. Ik moet de kwade geesten aanroepen om me te
helpen. Dit is nu de *'kom aan mijn borsten'*-scène die ik ook
tijdens de auditie heb gespeeld en ik haal er alles uit wat erin

zit. Ik ben niet zomaar een slechte koningin: ik ben een gezonde, hartstochtelijke, ambitieuze, liefhebbende echtgenote, die er alles voor overheeft om haar zin te krijgen. Deze rol is me op het lijf geschreven. Muggs moet zelfs even in de coulissen wachten, omdat het publiek zo enthousiast klapt en schreeuwt als de scène erop zit. En dan staan we eindelijk met z'n tweeën op het toneel. Ik ben zo blij dat ik spontaan op hem af ren en hem om zijn hals vlieg. Hij tilt me op en draait me rond, terwijl ik hem zoen. Er klinkt een collectief 'Aaaah!' uit het publiek en weer lachen we het uit. Dit staat helemaal niet in het script, maar het publiek gaat los. Langzaam maar zeker werken we naar de tragische finale toe.

De pauze valt precies na de feestscène. Het feest is een heel belangrijke gebeurtenis, een keerpunt in het verhaal. Vanaf dit moment zal Macbeth nergens meer voor terugdeinzen: hij doet alles om aan de macht te komen en laat mij, zijn berouwvolle, nutteloze vrouw, in de steek. Mevrouw Taylor is in de pauze helemaal door het dolle heen.

'Het gaat allemaal zó geweldig goed!' zegt ze steeds maar weer. 'Goed gedaan hoor, jullie allemaal. En Jess en David, jullie zijn briljant.'

Ik glim van trots. Muggs en ik zijn dolgelukkig. Een echt sterrenpaar. Ik kan niet wachten tot de pauze voorbij is.

'Doe die deur nou eens dicht, Kelly!' roept mevrouw Taylor. Kelly is op haar allerirritantst vandaag. Ze zet steeds de deur op een kier om met mensen uit het publiek te praten die langskomen, op weg naar een kop koffie of een glas wijn.

'Sorry, mevrouw,' zegt Kelly. 'Ik was net het nieuwe kapsel van de moeder van Jess aan het bewonderen. Het kankerkap-

sel. Staat haar goed hoor,' voegt ze er grinnikend aan toe.
Het wordt helemaal stil in het toneellokaal.
'Rotwijf,' zegt Ali dan.
Kelly kijkt om zich heen. Ali heeft precies verwoord wat iedereen dacht. Zelfs Jade lijkt zich rot te schamen voor Kelly's opmerking. Kelly heeft nu wel door dat ze te ver is gegaan.
'Sorry hoor, maar noem jíj mij nou een rotwijf?'
'Pas op, Kelly,' waarschuwt Liam.
'Heeft zij echt het gore lef om mij een rotwijf te noemen?' gaat ze onverstoorbaar verder.
Ali staart haar aan, zoals een konijntje staart naar een stel naderende koplampen.
'Laat nou, Kelly,' zegt Muggs nu. Hij is helemaal wit weggetrokken, helemaal gespannen. Ik zie een adertje kloppen in zijn slaap.
Wat is hier nu weer aan de hand?
'Ik doe het in ieder geval niet met het vriendje van mijn beste vriendin!'
Je probeert het anders wel, denk ik nog. Wat heeft Ali allemaal uitgespookt? Ik dacht dat ze nog verkering had met Sean?
'Heb je het nou echt niet door?' Kelly kijkt me kwaad aan.
Nee, ik heb inderdaad niets door. Dan kijk ik om me heen.
Ali staat te huilen. Ik kijk naar Muggs.
'Het spijt me, Jess,' zegt hij. 'Het is niet wat je denkt.'
O nee.
Nee toch? Alsjeblieft?
Hij heeft me bedrogen.
Niet met Kelly.
Maar met Ali.

Ali stormt het lokaal uit.

'Vervelend dat je er zo achter moet komen,' mompelt Kelly.

'Maar íemand moest het toch zeggen.'

'Hou je mond, Kelly. Jij hebt al meer dan genoeg gezegd,' zegt mevrouw Taylor. Ze legt haar hand op mijn arm. 'Jess?'

'Blijf van me af!' snauw ik. Snel trekt ze haar hand terug, alsof ze zich gebrand heeft. Dan kijk ik naar Muggs. Hij ziet er net zo verslagen uit als ik me voel.

'Het is niet wat je denkt,' zegt hij nog een keer.

'Heeft ze het dan verzonnen?'

'Nee, natuurlijk heb ik het niet verzonnen!' gilt Kelly. 'Die slet heeft het met je vriendje gedaan. Op het strand tijdens het festival.'

Zeg dat het niet waar is. Zeg alsjeblieft dat het niet waar is.

Muggs staat maar met zijn hoofd te schudden. Wat bedoelt hij daar nou mee? Eén voor één kijk ik de andere acteurs in het lokaal aan. Ze zien er allemaal uit alsof ze door de grond willen zakken. Niemand kijkt naar mij. Ik voel me heel kwetsbaar, beurs en naakt.

Diep vanbinnen voel ik een enorme huilbui opwellen. Voordat de tranen komen ren ik de deur uit, weg van al die medelijdende gezichten. In de gang staat het publiek. Iedereen drinkt, praat en lacht. Even verderop staan mama en Carly met mevrouw Shepherd te praten. Mama staat bescheiden te lachen, alsof ze nog even nageniet van mijn succes. Maar dan ziet ze me. Haar glimlach verdwijnt op slag. Pas in het toilet haalt Carly me in. Inmiddels heeft ze van mevrouw Taylor gehoord wat er is gebeurd. Ik ben kapot. Happend naar adem tussen het huilen door klamp ik me vast aan mijn zus. Ze houdt me stevig vast. Mijn tranen raken op, maar mijn lichaam schokt nog na.

'Ik zie er niet uit.'

In de spiegel zie ik iemand die in de verste verte niet lijkt op de mooie, geraffineerde Lady Macbeth. Mijn haar is losgeraakt uit de knot. De slierten hangen langs mijn gezicht. Mijn mascara loopt in twee dikke, zwarte stralen over mijn wangen. Mijn ogen zijn helemaal rood en opgezwollen. Met andere woorden: ik zie eruit als een bedrogen vrouw. Dat ben ik tenslotte ook.

Door de deur komen de eerste heavy metal-klanken ons weer tegemoet. Het stuk gaat weer beginnen. Op het toneel krijgt Kelly op haar donder van Hecate, de godin van de tovenarij. De woorden van Hecate bereiken ook mij:

'En het ergste is, dat wat je deed
Ten goede kwam van een secreet
Vol woeste haat, die alles pikt
Voor eigen beurs en jullie flikt.'

Hoe waar. Hoewel... Het klopt niet helemaal. Want de derde heks heeft hem verleid, niet de eerste. Die had ik, stom genoeg, niet zien aankomen.

'Gaat het een beetje, Jess? Je moet zo weer op,' zegt Carly bezorgd.

'Nee, dat kan ik niet...' Mijn stem hapert.

'Ja, dat kun je wel.' Mama is in de deuropening verschenen. Haar ogen zijn groot van bezorgdheid. Ik steek mijn armen naar haar uit en ze trekt me dicht tegen zich aan. Dan begin ik weer te huilen. Na een tijdje doet ze een stap achteruit. Ze heeft me vast bij mijn schouders en kijkt me doordringend aan. 'Je vader heeft me verteld wat er is gebeurd. Ik vind het vreselijk en we moeten er ook echt over praten. Maar niet nu. Nu moet je eerst je toneelstuk afmaken.'

'Maar mam, ik voel me...'

'Ik weet precies hoe je je voelt, geloof me. Ik heb het ook meegemaakt.'

'Mama...' snik ik weer. Natuurlijk weet ze hoe ik me voel. Als iemand dat begrijpt is zij het wel. 'Ik weet niet eens van wie ik het erger vind: van Muggs of van Ali.'

'Ik weet het, schat. Ze hebben je allebei voor de gek gehouden. Maar dat wil niet zeggen dat jij je dan op dezelfde manier moet gedragen. Er zitten daar vijfhonderd mensen die allemaal willen weten wat er met Lady Macbeth gaat gebeuren. Er zijn er bij die nog nooit een stuk van Shakespeare hebben gezien en ze vinden het allemaal geweldig. Je was zo goed in de eerste helft, Jess. Ze hangen letterlijk aan je lippen. Die mensen mag je niet teleurstellen.'

Ze heeft gelijk. Waarom zou ik me dit laten afnemen door Muggs en Ali? Plotseling herinner ik me de woorden van oma: '*Zorg ervoor dat je je door niemand de wet laat voorschrijven, Jess. Blijf altijd jezelf.*'

169

Ik snuit mijn neus eens. Om me heen staan twee heel verstandige vrouwen. Vrouwen die hun eigen magie hebben. Ik lach even waterig naar mama en Carly. Opgelucht lachen ze terug. Vervolgens verdwijnen ze de donkere aula in, terwijl ik de coulissen in loop. Ik doe net of ik niemand zie. Mevrouw Taylor is zo opgelucht om me te zien dat ze me bijna weer een klopje op mijn hand geeft, maar ze herinnert zich net op tijd wat er zo-even is gebeurd toen ze dat probeerde, dus wappert ze maar wat met haar hand. Ze steekt haar duimen in de lucht. 'Je bent een kanjer,' zegt ze.

Ik loop het toneel op en speel zoals ik nog nooit heb gespeeld. Als dit methodacting is, dan krijg ik nog een keer een Oscar. (Zijn er eigenlijk Oscars voor toneelacteurs?) Want ik spéél niet alleen de bedrogen vrouw, ik bén de bedrogen vrouw. Op dit moment zie ik eruit zoals ik er nooit had uitgezien als mij dit niet was overkomen. Zó had ik me nooit laten opmaken. Daar ben ik veel te ijdel voor. Mijn haar hangt slap langs mijn verlopen gezicht. Ik ben Lady Macbeth.

Terwijl ik samen met Lady Macbeth over het toneel loop, voel ik het medeleven van het publiek. Twee getergde zielen, gezichten verwrongen van verdriet omdat ons leven een wending kreeg die, ondanks alles wat we probeerden, niet te vermijden was. We wringen onze handen en zuchten en steunen.

We dachten dat we onoverwinnelijk waren. Beiden deel van een onverslaanbaar stel: Macbeth en Lady Macbeth, David Morgan en Jessica Bayliss. Niets kon ons deren. Ha! Hoogmoed komt voor de val, zegt men. En inderdaad: we zijn gedumpt als een stel vuilniszakken. Het leven is klote. En er is helemaal niets wat we eraan kunnen doen.

'*Gedaan wordt nooit meer ongedaan.*'

We moeten verder, maar zullen we het redden? Zíj in ieder geval niet, weet ik. En ik? De tranen rollen over mijn wangen als ik haar voor altijd achterlaat. Als ik van het toneel af loop staat mevrouw Taylor ook te huilen.

Aan het eind van het toneelstuk krijg ik een staande ovatie. Muggs en ik moeten samen op, hand in hand, terwijl de rest van de acteurs en medewerkers op het podium een stap achteruit doen. Het publiek juicht en klapt en schreeuwt en fluit. Papa loopt naar voren, pakt mijn hand en houdt die in de lucht.

'Ik ben hartstikke trots op je,' zegt hij en hij kust mijn hand. Ik voel me net een koningin. Dan wijst papa naar mijn lieve, gekke familie. Carly staat te fluiten en te gillen, ze klapt in haar handen en stampt met haar voeten. Mama staat te huilen. Oma is op haar stoel geklommen en zwaait met haar sjaal in de lucht, alsof ze bij een voetbalwedstrijd zit.

En zal ik je eens wat vertellen? Niemand kan me dit moment afpakken: gifkikker Kelly niet, foute Ali niet, bedriegende Muggs en papa niet, zelfs kanker niet.

Het is betoverend.

Epiloog

Ik weet wat je denkt. Je wilt weten hoe het verdergaat. Je wilt dat ik alle losse eindjes aan elkaar knoop. Dat deed Shakespeare in sommige van zijn stukken ook. Dat heet dan een epiloog. *Macbeth* heeft er geen.
Misschien geloofde hij gewoon niet meer in een goede afloop.
Dat doe ik ook niet meer.
Nou, wat wil je weten? Laat me raden.

Je wilt weten of ik eraan onderdoor ben gegaan, net als Lady Macbeth.

Je wilt weten of Muggs het inderdaad met Ali heeft gedaan en of het nu uit is tussen ons.

Je wilt weten of Ali en ik nog steeds vriendinnen zijn.

Je wilt weten of papa's verhouding met mevrouw Taylor echt voorbij is en of mama en papa nog steeds bij elkaar zijn.

Je wilt weten of mama de borstkanker overleeft.

Klopt toch, hè? Ik kan alleen maar vertellen wat ik zelf weet en dat stelt niet veel voor.

Ik heb mezelf natuurlijk niet van kant gemaakt, zoals Lady M. Daar heb ik geen seconde over nagedacht. Zelfmoord is geen optie als je je moeder net voor haar leven hebt zien vechten. Met die bijgelovige rituelen ben ik opgehouden. Die helpen toch niet.

Muggs en ik zijn nog steeds bij elkaar. Min of meer. Wat er precies in Cornwall is gebeurd zal ik nooit te weten komen. Hij zegt dat hij me ontzettend miste en dat hij geil was. Op die laatste avond heeft hij zich klem gedronken en zo lag hij opeens op het strand. Met Ali.

Zíj beweert dat ze heel erg eenzaam was zonder Sean, maar geeft ook toe dat ze het zat was om altijd tweede viool te spelen bij mij. Maar ze zegt ook dat ze (onder invloed van een hele reeks alcoholische versnaperingen) wilde kijken hoe ver ze kon gaan met mijn vriendje.

Ze denken dat ze het niet echt gedaan hebben. Of ik ze geloof? Ja hoor. Anders zou ik niet nog steeds met Muggs gaan. Het is alleen niet hetzelfde als vroeger. Nog niet, in ieder geval. Misschien komt dat ook nooit meer terug. Hoe dan ook, komende herfst gaat hij studeren.

Ali en ik gaan af en toe nog wel eens samen naar het winkelcentrum. O ja, en ze schrijft ook nog steeds mijn huiswerk over. Ik zal haar nooit meer kunnen vertrouwen, maar ze is nog steeds Ali. Maffe Ali.

Carly heeft het heel erg naar haar zin in Bristol. Of ze al kans heeft gezien om daadwerkelijk naar college te gaan, weet ik alleen niet. Ze heeft inmiddels uitvoerig kennisgemaakt met alle heren uit haar jaar. Volgend weekend ga ik bij haar logeren, om ook eens te kijken hoe dat studentenleven nou is. Een klanttevredenheidsonderzoek, zeg maar.

Mama heeft oma gevraagd of ze met Kerstmis naar ons toe komt. Oma weet alleen nog niet of ze dan al thuis is. Ze gaat rond die tijd namelijk op reis, met andere zestigplussers. Naar Las Vegas.

Ik ben alvast druk bezig mc voor te bereiden op mijn eindexamen. Niet dat ik nou erg flitsende cijfers nodig heb als ik actrice wil worden (oma heeft me op een idee gebracht!), maar ik wil ook de mogelijkheid hebben om nog iets anders te gaan doen, mocht dat nodig zijn.

Mama is klaar met chemotherapie. Nu wordt ze zes weken lang iedere dag bestraald. Vergeleken bij de chemo is de bestraling een eitje, zegt ze zelf. Zij en Gail gaan er samen naartoe en combineren het met een uitje naar het winkelcentrum of een lunch.

Als ze allebei klaar zijn met hun behandeling geven ze een feest. Mama heeft het nooit meer over haar werk op school. Ze zei wel dat als ze eenmaal van alle ellende af is, ze misschien iets anders gaat doen. Blijkbaar heeft ze altijd schrijfster willen worden.

Mama zegt dat haar ziekte haar de kans heeft gegeven om te veranderen. Ze zegt ook dat papa niet vanwege haar borstkanker is vreemdgegaan met mevrouw Taylor. Hun huwelijk was allang 'versleten'. Wat er precies mis is met versleten? Ik weet het ook niet. Versleten is warm en het zit lekker, zeg ik tegen mama. Nee, zegt ze. Versleten is op en dodelijk vermoeiend.

Je hebt het al geraden: papa is weggegaan. Ik vind het afschuwelijk om het te moeten zeggen. Hij is niet bij mevrouw Taylor ingetrokken. Hij woont nu in een flatje, vlak bij school. 's Middags als ik uit school kom ga ik altijd even langs voor een kop thee.

Ik stond met mijn oren te klapperen toen papa en mama het me vertelden. Het was een proef, zeiden ze. Totdat ze er samen uit waren. Waarom ze die proef niet konden doen terwijl ze allebei thuis woonden weet ik niet.

Ik dacht dat ze er allang uit waren. Ik dacht dat mevrouw Taylor uit het zicht was verdwenen. Misschien is ze dat ook wel. Ik hoop het maar.

De tijd zal het leren. Als je een goede afloop van mijn verhaal wilt dan zul je die zelf moeten schrijven.

Ik geef 'het toneelstuk dat ongeluk brengt' niet meer de schuld van alles wat er is gebeurd. Want het is toch een beetje zo dat het er niet om gaat wat je in je leven meemaakt, maar wat je er later mee doet.

Trouwens, we hebben besloten dat het toneelstuk van volgend jaar er niet een van Shakespeare wordt. We gaan *Grease* spelen. Drie keer raden welke rol ik wil? Nee, niet die van Sandy. Die is veel te nietszeggend en saai. Nee, ik wil de rol van de getekende Rizzo. Die is veel interessanter.

Zij is gewend te overleven. Net als ik.